Les Éditions du Boréal
4447, rue Saint-Denis
Montréal (Québec) H2J 2L2
www.editionsboreal.qc.ca

Ces enfants
de ma vie

Le texte de la présente édition de *Ces enfants de ma vie* est conforme à celui de l'Édition du centenaire des *Œuvres complètes* de Gabrielle Roy (Boréal, 2012).

Gabrielle Roy

Ces enfants de ma vie

roman

texte définitif

Boréal

Dépôt légal : 3e trimestre 1993
Bibliothèque nationale du Québec

Diffusion au Canada : Dimedia
Diffusion et distribution en Europe : Interforum

Catalogage avant publication (Canada)

Roy, Gabrielle, 1909-1983

Ces enfants de ma vie

(Boréal compact ; 49)

2e éd.

Éd. originale : Montréal : Stanké, 1977.

Comprend des réf. bibliogr.

ISBN 978-2-89052-574-0

I. Titre. II. Collection.

PS8535.O95C3 1993 C843'.54 C93-096946-4
PS9535.O95C3 1993
PQ3919.R69C47 1993

ISBN PAPIER 978-2-89052-574-0

ISBN PDF 978-2-7646-1225-5

ISBN ePUB 978-2-7646-1226-2

Vincento

En repassant, comme il m'arrive souvent, ces temps-ci, par mes années de jeune institutrice, dans une école de garçons, en ville, je revis, toujours aussi chargé d'émotion, le matin de la rentrée. J'avais la classe des tout-petits. C'était leur premier pas dans un monde inconnu. À la peur qu'ils en avaient tous plus ou moins s'ajoutait, chez quelques-uns de mes petits immigrants, le désarroi, en y arrivant, de s'entendre parler dans une langue qui leur était étrangère.

Tôt, ce matin-là, me parvinrent des cris d'enfant que les hauts plafonds et les murs résonnants amplifiaient. J'allai sur le seuil de ma classe. Du fond du corridor s'en venait à l'allure d'un navire une forte femme traînant par la main un petit garçon hurlant. Tout minuscule auprès d'elle, il parvenait néanmoins par moments à s'arc-bouter et, en tirant de toutes ses forces, à freiner un peu leur avance. Elle, alors, l'empoignait plus solidement, le soulevait de terre et l'emportait un bon coup encore. Et elle riait de le voir malgré tout si difficile à manœuvrer. Ils arrivèrent à l'entrée de ma classe où je les attendais en m'efforçant d'avoir l'air sereine.

La mère, dans un lourd accent flamand, me présenta son fils, Roger Verhaegen, cinq ans et demi, bon petit garçon très doux, très docile, quand il le voulait bien — hein, Roger ! — cependant que, d'une secousse, elle tâchait de le faire taire. J'avais déjà quelque expérience des mères, des enfants, et me demandai si celle-ci, forte comme elle pouvait en avoir l'air, n'en était pas moins du genre à se décharger sur les autres de son manque d'autorité, ayant sans doute tous les jours menacé : « Attends, toi, d'aller à l'école, pour te faire dompter. »

J'offris une pomme rouge à Roger qui la refusa net, mais me l'arracha une seconde plus tard, comme j'avais le regard ailleurs. Ces petits Flamands d'habitude n'étaient pas longs à apprivoiser, sans doute parce qu'après la peur bleue qu'on leur en avait inspirée, l'école ne pouvait que leur paraître rassurante. Bientôt, en effet, Roger se laissa prendre par la main et conduire à son pupitre, en n'émettant plus que de petits reniflements.

Alors arriva Georges, un petit bonhomme silencieux, sans expression, amené par une mère distante qui me donna les détails nécessaires sur un ton impersonnel et partit sans avoir même souri à son enfant assis à son pupitre. Lui-même ne marqua guère plus d'émotion, et je me dis qu'il me faudrait avoir l'œil sur lui, qu'il pourrait bien être de ceux qui me donneraient le plus de fil à retordre.

Après, je fus entourée tout à coup de plusieurs mères et d'autant d'enfants. L'un d'eux n'arrêtait pas de geindre à petits cris rentrés. La morne plainte atteignit Roger, moins consolé que je ne l'avais cru. Il repartit à sangloter en accompagnement de l'enfant inconnu. D'autres qui avaient été paisibles jusque-là se joignirent à eux. C'est dans cette désolation que je devais procéder à l'inscription. Et d'autres enfants encore arrivaient qui, se découvrant dans un lieu de larmes, se mettaient à chigner.

Alors le ciel certainement me vint en aide, m'envoyant le plus gai petit garçon du monde. Il entra, tout sautillant, courut s'asseoir à un pupitre de son choix et y étala ses cahiers neufs, en riant de connivence avec sa mère qui le regardait faire dans un émoi heureux.

— C'est pas mon petit Arthur qui va vous donner pour deux sous de peine, dit-elle. Depuis le temps qu'il désire venir à l'école !

La bonne humeur de ce petit garçon faisait déjà son œuvre. Autour de lui, des enfants, surpris de le voir si content, s'essuyaient le visage du bout de leur manche et commençaient à regarder la classe d'un autre œil.

Hélas, je perdis du terrain avec l'arrivée de Renald que sa mère poussait dans le dos en l'accablant de préceptes et de recommandations : « Il faut venir à l'école pour s'instruire... Sans instruction on n'arrive à rien dans la vie... Mouche-toi et fais bien attention de ne pas perdre ton mouchoir... Ni tes autres affaires qui nous ont coûté cher... »

Ce petit, il pleurait comme sur un ennui qui n'avait de cesse d'un bout à l'autre de la vie, et ses compagnons, sans rien comprendre à cette peine, pleurèrent avec lui, de sympathie, sauf mon petit Arthur qui s'en vint me tirer par la manche et me dire :

— Ils sont fous, hein !

Un peu plus tard, trente-cinq enfants inscrits et à peu près tranquillisés, je commençais à respirer, je me prenais à espérer la fin du cauchemar, pensant : maintenant j'ai dépassé le plus noir. Je voyais de petits visages sur lesquels j'étais encore en peine de mettre un nom m'adresser un premier sourire furtif ou, en passant, une caresse du regard. Je me disais : nous allons vers l'amitié... lorsque, soudain, du corridor, nous parvint un autre cri de douleur. Ma classe que j'avais crue gagnée à la confiance frémit en entier, lèvres tremblantes, regards fixés sur le seuil. Alors parut un jeune père auquel était accroché un petit garçon, son image si vivante, aux mêmes yeux sombres et désolés, à l'air souffreteux, qu'on aurait pu avoir envie de sourire si ces deux-là n'eussent exprimé, l'un autant que l'autre, la douleur de la séparation.

Le petit, cramponné à son père, levait vers lui un visage inondé de larmes. Dans leur langue italienne, il le suppliait, à ce qu'il me parut, de ne pas l'abandonner, par la grâce du ciel de ne pas l'abandonner !

Presque aussi bouleversé, le père s'efforçait de rassurer son petit garçon. Il lui passait la main dans les cheveux, sur les joues, lui essuyait les yeux, le câlinait, le berçait de mots tendres maintes et maintes fois répétés qui semblaient signifier : Tout ira bien... Tu verras... C'est ici une bonne école... « Benito... Benito... » insistait-il. Mais l'enfant lançait toujours son appel désespéré : « La casa ! La casa ! »

Je reconnaissais à présent un immigrant des Abruzzes depuis peu arrivé dans notre ville. N'ayant pas encore trouvé à y exercer son métier de rembourreur, il se livrait çà et là à divers travaux. C'est ainsi qu'un jour j'avais pu le voir occupé à bêcher un carré de terre dans notre voisinage. Je me rappelai qu'il était accompagné de son petit garçon cherchant à aider, que tous deux en travaillant ne cessaient pour ainsi dire de se parler, pour s'encourager l'un l'autre sans doute, et que ce murmure en langue étrangère, au bout de nos champs, m'avait paru singulièrement attirant.

J'allai à leur rencontre avec le plus large sourire possible. À mon approche l'enfant cria de frayeur et se cramponna encore plus fortement à son père à qui il communiqua son tremblement. Je vis que celui-ci n'allait pas m'être d'un grand secours. Au contraire, par ses caresses, ses mots doux, il n'aboutissait qu'à entretenir chez l'enfant l'espoir qu'il le ferait fléchir.

Et, de fait, le père se mit à plaider avec moi. Puisque le petit était si malheureux, ne valait-il pas mieux pour cette fois le ramener à la maison, quitte à essayer encore cet après-midi ou le lendemain, alors qu'il aurait eu le temps de bien expliquer à l'enfant ce qu'était l'école ?

Je les vis suspendus à ma décision, et pris mon courage à deux mains : « Non, quand il faut couper la branche, rien ne donne d'attendre. »

Le père abaissa tristement les yeux, obligé de me donner

raison. Il s'efforça de m'aider un peu. Même à deux nous eûmes beaucoup de peine à détacher l'enfant, desserrions-nous une main qu'aussitôt elle nous échappait pour s'agripper de nouveau aux vêtements du père. Le curieux était que tout en s'accrochant à son père, il lui en voulait de s'être mis de mon côté et le traitait à travers ses larmes et ses hoquets de sans-cœur et de vaurien.

Enfin le père fut libre un instant pendant que je retenais le petit garçon de peine et de misère. Je lui fis signe de partir au plus vite. Il franchit le seuil. Je fermai la porte derrière lui. Il la rouvrit d'un doigt pour me désigner le petit du regard en disant :

— C'est Vincento !

Je lui fis comprendre que d'autres détails pouvaient attendre, Vincento ayant presque réussi à m'échapper. Je le rattrapai de justesse et refermai la porte. Il s'y rua tout en se haussant pour atteindre la poignée. Maintenant il ne criait ni ne pleurait, toute son énergie appliquée à se sortir d'ici. Le père ne s'en allait toujours pas, cherchant à voir par le haut vitré de la porte comment se comportait Vincento et si j'avais l'air d'en venir à bout. À son visage anxieux on eût dit qu'il ne savait ce qu'il souhaitait. Et encore une fois le petit fut sur le point de filer sous mes yeux, ayant réussi à faire tourner la poignée. Alors je donnai un tour de clé à la porte et mis la clé dans ma poche.

Un silence houleux nous enveloppa qui parut s'étendre jusqu'au père que je n'entendais plus respirer et dont le regard agrandi de surprise guettait nos moindres mouvements.

Pour l'instant, Vincento réfléchissait, ses immenses yeux faisant le tour de la situation. Soudain, avant que j'aie pu le voir venir, il fonça sur moi, m'envoyant à la volée des coups de pied dans les jambes. J'en vis des éclairs, mais n'accusai pas le choc. Alors, un peu honteux peut-être de son fils ou assuré au contraire qu'il saurait se défendre, le père enfin se décida à partir.

Vincento, son sort entre ses seules mains, parut désespérément chercher un plan d'attaque, une stratégie, puis, comme s'il n'y avait vraiment rien devant lui, il poussa un terrible soupir, son courage l'abandonna, il rendit les armes. Il ne fut plus qu'une petite créature brisée, sans soutien ni ami dans un monde étranger. Il courut se blottir par terre dans un coin, la tête enfouie dans ses mains, enroulé sur lui-même et gémissant comme un petit chien perdu.

Du moins ce vrai et profond chagrin fit taire net mes pleurnicheurs. Dans un silence total, Vincento exhalait sa plainte. Certains enfants, en cherchant mon regard, se donnaient une mine scandalisée comme pour me dire : « C'en fait, une manière de se conduire. » D'autres, pensifs, considéraient la petite forme écrasée par terre et poussaient aussi des soupirs.

Il était grand temps de faire diversion. J'ouvris une boîte de craies de couleur et en fis la distribution, invitant les enfants à venir au tableau y dessiner chacun sa maison. Ceux qui d'abord ne saisirent pas le sens de mes paroles comprirent dès qu'ils eurent vu de leurs compagnons en train d'esquisser des carrés munis de trous pour indiquer portes et fenêtres. Allégrement ils se mirent à en faire autant et, selon leur conception égalitaire au possible, il parut que tous habitaient à peu près la même maison.

Je dressai en haut du tableau un bâtiment qui était ni plus ni moins que les maisons mises bout à bout et les unes au-dessus des autres. Les enfants reconnurent leur école et se prirent à rire dans leur contentement de se situer. Je traçai maintenant un chemin descendant de l'école vers le bas où étaient les maisons. Mon gai petit élève eut le premier l'idée de se représenter sur cette route par un bâton surmonté d'un rond où les yeux étaient placés sur les côtés de la tête comme souvent chez les insectes. Alors tous voulurent être sur cette route. Elle se couvrit de petits bonshommes s'en allant à l'école ou en revenant.

J'écrivis le nom de chacun dans un ballon au-dessus des images. Ma classe en fut enchantée. Quelques-uns se plurent à ajouter à leur personnage quelque détail qui le distinguerait des autres. Roger, qui était arrivé en chapeau de paille de fermier, travailla bien fort à coiffer le bâton qui le représentait. Cela fournit le curieux spectacle d'une énorme boule se mouvant sur de petits bouts de jambe. Roger se prit à rire aussi fort qu'il avait pleuré. Une sorte de bonheur commençait à habiter ma classe.

Je jetai un coup d'œil sur Vincento. Ses gémissements s'espaçaient. Sans se hasarder à découvrir son visage, il tâchait entre ses doigts écartés de suivre ce qui se passait et qui apparemment l'étonnait beaucoup. Surpris à un moment d'entendre rire, il s'oublia à laisser retomber une de ses mains. Dans un fin regard il découvrit que tous sauf lui avaient leur maison et leur nom au tableau. Sur son petit visage gonflé et rougi par les larmes se peignit, au milieu de la détresse, le désir d'y être lui aussi représenté.

Je m'avançai vers lui, un bâton de craie à la main, me faisant toute conciliante.

— Viens donc, Vincento, dessiner la maison où tu habites avec ton papa et ta maman.

Ses troublants yeux de braise aux longs cils soyeux me regardèrent en face. Je ne savais que penser de leur expression, ni hostile ni confiante. J'avançai encore d'un pas. Soudain, il se souleva et, en équilibre sur un pied, détendit l'autre comme sous la poussée d'un ressort. Il m'atteignit en pleine jambe de la pointe de sa bottine ferrée. Cette fois, je ne pus réprimer une grimace. Vincento en eut l'air ravi. Quoique le dos au mur et accroupi, il faisait front, me donnant à entendre que de lui à moi ce ne pouvait être qu'œil pour œil, dent pour dent. Peut-être était-ce l'affaire de la clé qu'il avait tellement sur le cœur. Plus qu'une peine d'âme, la rancune semblait maintenant le tenir.

— C'est bon, dis-je, on n'a pas besoin de toi, et j'allai m'occuper des autres enfants qui, eux, par gentillesse ou pour se faire bien voir, me marquèrent une affection accrue.

Ainsi, vite malgré tout, passa l'avant-midi. Quand j'ouvris la porte aux enfants que j'avais fait se ranger par deux le long du mur, ils commencèrent à sortir en bon ordre, sans hâte exagérée, quelques-uns s'attardant pour saisir ma main au passage ou m'annoncer qu'ils reviendraient cet après-midi ; personne en tout cas ne prit la fuite. Hormis Vincento qui en un bond doubla la classe pour se glisser au dehors avec la prestesse d'une fouine ayant vu le jour de sa liberté.

Après le déjeuner, je revins à l'école, la mort dans l'âme. Tout va être à recommencer, me disais-je. Ils vont revenir en larmes, le père, l'enfant. Je vais avoir à les séparer encore une fois, chasser l'un, combattre l'autre. Ma vie d'institutrice m'apparaissait sous un jour accablant. Je me hâtais pourtant, histoire de m'armer en prévision de la lutte à venir.

J'arrivai à un angle de l'école. Il y avait là, à quelques pieds du sol, une fenêtre à embrasure profonde. J'y distinguai une toute petite forme tapie dans l'ombre. Dieu du ciel, serait-ce mon petit desperado venu m'attaquer à découvert ?

La forme menue risqua la tête hors de sa cachette. C'était bien Vincento. Ses yeux brillants m'enveloppèrent dans un regard d'une intensité passionnée. Qu'est-ce qu'il rumine ? Je n'eus pas le temps de penser plus loin. Il avait bondi. Il était à mes pieds comme Vendredi à ceux de son maître. Ensuite — et aujourd'hui encore me paraît impossible ce qu'il accomplit — il grimpa à moi comme un chat à un arbre, s'aidant à petits coups de genoux qui m'enserrèrent les hanches, puis la taille. Parvenu au cou, il me le serra à m'étouffer. Et il se mit à me couvrir de gros baisers mouillés qui goûtaient l'ail, le ravioli, la réglisse. J'en eus les joues barbouillées. J'avais beau, le souffle court, le supplier : « Allons, c'est assez, Vincento... » il me serrait avec une force incroyable chez un si petit être. Et il me déversait dans l'oreille un flot de mots en langue italienne qui me semblaient de tendresse.

Pour arriver à lui faire lâcher prise, je dus l'amener au calme, peu à peu, avec de petites tapes amicales dans le dos, le serrant à mon tour et, lui parlant sur un ton affectueux dans une langue qu'il ne connaissait pas plus que je ne connaissais la sienne, j'eus à le rassurer de la peur déchirante qu'il semblait à présent avoir de me perdre.

Enfin il se laissa déposer sur le sol. Il tremblait de cet anxieux grand bonheur qui s'était abattu sur lui, bien petit encore pour en supporter l'intensité. Il me prit la main et me tira vers ma classe plus vite que je n'y avais jamais été de moi-même.

Il me conduisit de force à mon pupitre, en choisit un pour lui au plus près, s'y assit, les coudes sur la tablette, le visage entre ses mains. Et, faute de savoir me dire son sentiment, il s'abîma, comme on dit, à me manger des yeux.

Pourtant... ensuite... passé cette journée de violence... je ne me rappelle plus grand-chose de mon petit Vincento... tout le reste fondu sans doute en une égale douceur.

L’enfant de Noël

Noël approchait. Mes petits élèves de jour en jour se montraient plus agités. Le devoir au tableau à peine copié dans leur cahier, ils se penchaient l'un vers l'autre, en une houle, de tous les côtés à la fois de la classe, pour se chuchoter à l'oreille ce qu'ils espéraient obtenir de Santa Claus ; ou ce qu'ils comptaient m'offrir à moi, leur institutrice. J'avais tout fait pour décourager ces élans de générosité à mon endroit qui le plus souvent s'exerçaient sur le dos des parents. J'apprenais qu'il peut être plus difficile de faire changer d'idée un enfant aimant qu'un homme armé de toute sa force.

Pendant que se gonflaient certains enfants, d'autres, dont les parents étaient très pauvres, s'affligeaient de n'avoir rien à me donner. J'avais beau leur répéter que leur gentillesse envers moi et leur application à bien travailler m'étaient le plus précieux des cadeaux, je ne parvenais pas à les consoler. Et moins que tous, avais-je réussi, cette année-là, à raisonner mon petit Clair.

Cet enfant m'était le plus gentil petit élève. Il accomplissait la moindre tâche comme si sa vie en dépendait, ou plutôt comme si de mériter mon approbation lui était la vie elle-même.

Les enfants occupés à copier dans leur cahier le modèle inscrit au tableau, je faisais le tour des allées, m'arrêtant pour examiner le travail de chacun, et souvent c'était si mal fait que je me désespérais d'être jamais bonne à ma tâche. Tout changeait quand je me penchais sur le cahier de Clair, chaque jour davantage émerveillée par la jolie petite écriture soignée, ou même simplement les chiffres alignés comme des portées de musique, en groupes compacts avec des espaces nets entre eux. Cet enfant aurait réussi à faire quelque chose de joli avec des pages remplies de bâtons seulement. Je lui disais chaque fois, c'était plus fort que moi, c'était un peu comme si en le louant je me rassurais moi-même sur mes mérites d'institutrice :

— Que tu travailles donc bien, Clair !

Alors l'enfant, rouge encore de l'effort, tout tendu, s'apaisait et me remerciait d'un sourire si tendre que j'entrevoyais presque avec honte l'héroïque effort auquel se livrait quotidiennement ce petit garçon pour obtenir un bon mot de ma part, et je devais prendre garde de ne pas même lui donner tout son dû, par peur de rendre les autres envieux et peut-être méchants envers lui.

En vérité, je ne pouvais lui trouver de défauts. Il était franc, adroit, intelligent et, de surcroît, ce qui est rare chez un enfant doué, tranquille. Quand il avait terminé, longtemps avant les autres, son devoir, au lieu de faire du bruit, de se montrer agaçant, il restait sagement assis à sa place à me suivre des yeux dans la joie comme si déjà c'était là pour lui une récompense. Et j'en vins moi aussi à le chercher souvent du regard, telle également, j'imagine, une récompense.

Il portait depuis le commencement de l'année le même costume de serge bleu marine brillant d'usure quoique tenu bien propre et apparemment repassé à l'eau vinaigrée pour en atténuer la luisance, mais le traitement n'aidait guère et puis, un jour, le costume me parut comme neuf. J'en fis la remarque à Clair qui m'expliqua que sa mère, ayant constaté que l'envers de l'étoffe était beau encore, avait passé la fin de semaine à le retourner.

Ce vêtement un peu sombre était relevé par un col blanc rabattu qui seyait bien à l'ovale de son visage entre de fins cheveux blonds. De ses compagnons, à cause de cette parure, avaient ri de lui, le traitant de *sissy*, de chouchou à maman, et l'enfant délicatement élevé avait paru ne pas comprendre le pourquoi de la raillerie. Un jour, peu après, je tombai sur une image d'un groupe de Petits Chanteurs en vêtement sombre à col blanc souple, et j'imaginai que la mère de Clair avait pu voir aussi cette image et s'en inspirer pour habiller son enfant. Je découpai l'image et l'épinglai à l'avant de la classe. Dès lors Clair me sembla moins seul de son espèce parmi nous, quoique toujours aussi timide dans ses manières.

Il m'arriva une fois, hélas que je m'en souviens ! étant très fatiguée, de perdre patience et pour un rien de bousculer un de mes élèves. Ce ne fut pourtant pas lui le plus affligé, mais Clair à qui, en levant vers lui, par réflexe, un regard interrogateur, je vis un visage consterné. Ainsi, peu à peu, cet enfant me devint-il une sorte de guide très sûr. Ses yeux étaient-ils pétillants d'intérêt, je pouvais conclure que mon récit avait été bien mené. Se mouillaient-ils de larmes, c'était que j'avais trouvé le ton pour émouvoir. Riait-il à gorge déployée un joli rire de carillon égrené, je pouvais penser avoir également réussi dans le comique.

Maintenant, toutefois, à l'approche de Noël, il n'y avait plus à l'égayer. S'il chantait encore avec les autres, parce qu'il le fallait, c'était sans frémissement, et sa petite voix triste s'entendait à peine dans le chœur. Aux ding ! dong ! ding ! il ne souriait plus. Il écrivait toujours avec le même soin dans son cahier que sa mère lui avait couvert de papier brun pour le garder propre, mais si je me penchais comme auparavant pour lui dire : « C'est très beau, Clair… » sa peine en paraissait avivée, si bien que j'en vins à ne lui faire presque plus de compliments. Et, à la fin, jusqu'à tâcher d'éviter son regard aimant.

À une semaine de Noël, les enfants ne se possédaient plus. Ils auraient bien voulu me faire une surprise, mais tenaient encore plus à me faire savoir que je l'aurais. J'avais presque toujours dans les jambes Petit-Louis qui me racontait jour après jour les progrès accomplis auprès de son père de qui il espérait obtenir pour moi une boîte de chocolats. « De deux livres, c'est ce qui est difficile », précisait-il.

Petit-Louis était le fils d'un malingre Juif polonais venu ouvrir dans notre ville un de ces pauvres magasins dont le stock, faute d'espace de rangement, ou par négligence, reste interminablement en vrac, par terre, dans les coins, ou pêle-mêle dans des vitrines crasseuses, le chocolat voisinant avec le savon et les corn-flakes. Je ne tenais pas à du chocolat me venant de ce magasin, mais le moyen d'arrêter Petit-Louis !

— Mon père, disait-il, est proche de céder — *give in* — pour une boîte d'une livre. Mais c'est pas ce que je veux. Ce que je veux pour cette maîtresse-là, que je lui ai dit, c'est deux livres.

— C'est bien assez d'une livre. Et chut ! Pas si fort, Louis. Tous les enfants n'ont pas un père qui a du chocolat à donner.

Mais Louis à sa manière m'aimait. Il reprenait, la morve au nez, d'une voix geignarde comme entraînée de tout temps au marchandage : « J'ai dit à mon père si tu me donnes pas une boîte de deux livres tu pourras te chercher quelqu'un d'autre pour tes livraisons à quatre heures. C'est deux livres qu'il me faut. » Une livre, prétendait-il, ça ne fait pas le poids.

Ensuite Johnny dont le père était égoutier l'été, chômeur l'hiver, s'en vint me crier « en secret » que sa mère était en train de me tricoter des pantoufles avec les restes de laine de toutes couleurs qu'elle avait pu récupérer. Il devait cependant pour ainsi dire ne jamais la quitter de l'œil, car elle était prompte à laisser tout en plan pour aller s'amuser.

— Ma mère est une paresseuse, m'apprit-il. Hier encore, elle a tout plaqué pour jouer aux cartes en plein jour.

— On ne dit pas ça de sa mère, voyons, Johnny !

— Et si c'était vrai ! Et si c'était le père qui le dit ! Une grande paresseuse qu'elle est, ma mère ! Mais je vais pas la laisser une minute tranquille tant qu'elle aura pas fini « tes » pantoufles.

Il n'y avait pas à se le cacher, mes élèves au regard angélique devenaient à Noël de petits monstres acharnés à saigner leurs parents aux fins de se montrer généreux envers moi. Je les sermonnais, disant c'est laid d'être ainsi sur le dos des pauvres parents qui en ont déjà bien assez de subvenir aux besoins de leur famille... et ce n'est pas beau, Louis... et ce n'est pas bien, Johnny... mais rien n'y faisait. Louis ne cessait de harceler son père et me tenait au courant : « Il balance un peu pour deux livres, mais c'est pas encore dans la main. Il est avare de son chocolat. Pourtant, le chocolat lui coûte presque rien à lui, si on considère que c'est au prix de gros qu'il me le laisserait. »

Johnny pour sa part dut m'avouer que sa mère avait égaré la pantoufle commencée, mais elle ferait mieux de la retrouver sans quoi il allait lui en cuire.

— C'est une négligente, me dit-il.

— Voyons, Johnny !

— Le père l'a dit.

Il y eut jusqu'à mon charmant petit Nikolaï qui à cause de moi se prit à importuner sa mère. La famille vivait à la lisière du dépotoir de la ville où ils avaient trouvé sans peine de quoi se bâtir, de tôle rouillée, de montants de lit et de planches encore bonnes, une cabane assez gentille, surtout l'été, lorsque environnée de fleurs et de poules. Je connaissais le coin ; en septembre, dès qu'il était devenu amoureux de moi, Nikolaï n'avait eu de repos tant qu'il ne m'eût entraînée, un soir, après la classe, pour voir comme c'était beau chez lui. L'été soignant de vraies fleurs, sa mère, l'hiver, en fabriquait en tissu fin ou en papier, pour les vendre à bas prix dans les grands magasins qui les revendaient cher. De cette cabane mal chauffée sortaient des jonquilles si délicatement faites qu'on avait envie de les porter à son visage telles des fleurs vivantes.

Anastasia, la mère de Nikolaï, mettait quelquefois, au cœur de la fleur, une goutte de parfum.

— Trois fleurs au moins, c'est ce que j'aimerais bien avoir pour toi, me disait Nikolaï. Trouves-tu que c'est assez?

— Trop, voyons, Nikolaï, si on songe au temps que met ta mère pour faire une seule fleur. Et elle n'en a pas déjà si cher!

— Une alors, disait-il tristement. Au moins une. Mais c'est pas beaucoup, une.

— Au contraire. Une c'est mieux. On la voit bien, on ne voit qu'elle.

— Ah, tu penses!

Mais le jour suivant il venait me mettre en garde contre trop d'espoir.

— Tu sais, même une fleur... c'est pas sûr que tu l'auras... Le père est contre. Il veille comme un loup. Aussitôt qu'il y a des fleurs de prêtes, il les prend et court les vendre. On ne les revoit plus jamais. Hier, c'étaient de beaux géraniums rouge vif qui sont partis pour toujours. Si je pouvais en voler pour toi, me demandait-il en me faisant une caresse, qu'est-ce que tu aimerais mieux que je vole? Du muguet? Un pois de senteur? Du lilas? Elle le fait bien beau son lilas, ma petite mère. C'est ce qui rapporte le plus. Mais aussi c'est ce qui est le plus long à faire.

— Oh rien, Nikolaï! Tu me fends le cœur à vouloir voler le travail de ta mère.

— Elle ne s'en apercevrait peut-être pas, disait Nikolaï dans sa tendresse pour moi. Des fois, je lui chipe des biscuits encore chauds, et elle ne fait que rire.

Après ces épanchements et ces confidences qui, parfois, me détournaient de Noël, fête dure aux êtres aimants, je portais le regard vers Clair. De sa place il ne perdait rien de ces bruyantes démonstrations, sans tenter le moindrement d'y prendre part, sinon des yeux, qui s'attachaient à moi pleins de chagrin, pour ensuite s'abaisser quelquefois comme dans la honte.

Pourtant lui aussi, me disais-je, doit pressurer sa mère. Je ne l'avais jamais vue. Il m'arrivait, d'après tel ou tel enfant, d'assez bien me représenter la mère. Ainsi j'avais aimé celle de Nikolaï dès qu'il s'était mis à me parler d'elle. Et sans doute étais-je déjà portée vers celle de Clair. Mais je commençai à trouver étrange qu'elle ne se fût encore jamais montrée.

Les jours suivants furent terriblement froids. Plusieurs enfants manquèrent la classe. Pas Clair toutefois. Quand j'arrivai un peu en retard, ce matin-là, je le trouvai déjà assis à sa place où il étudiait à voix haute la leçon de lecture de la journée.

Il s'interrompit et se leva pour me saluer comme je l'avais demandé aux enfants pour accueillir un visiteur : sans doute parce que, arrivé avant moi, il se croyait tenu d'observer la règle de bienséance à mon égard. Nous nous dîmes bonjour. Puis il se rassit et continua sa lecture : *Jack and Jill / Went up the hill...* d'une voix si triste que je l'entends encore, pour moi, à jamais liée à un premier grand chagrin d'enfant au cœur généreux. J'aurais tout donné pour l'en délivrer, mais il aurait fallu pour cela que je lui enlève l'affection qu'il me portait, et c'était la dernière chose que je voulais.

Ce matin-là, pas beaucoup plus de la moitié de mes élèves présents, j'aurais eu tout le temps pour m'occuper de lui en particulier, mais je ne l'osai pas et, peut-être même, lui accordai un peu moins d'attention que d'habitude.

Nous allions prendre quelques moments de récréation lorsque je vis se dessiner dans la partie vitrée de la porte un doux visage d'expression timide. J'allai ouvrir. Je me trouvai devant une femme au manteau usé entrouvert sur une robe sombre parée d'un col si blanc que tout à coup on ne voyait plus que son exquise propreté. Les yeux étaient d'un bleu que je reconnaissais, quoique un peu plus pâle peut-être, comme délavé sous l'effet de la vie. Je lui tendis les mains.

— Sûrement, vous êtes la mère de Clair !

Elle eut pour me remercier de la reconnaître le même tendre sourire que son petit garçon quand il était ému, puis songea à s'excuser de me déranger pendant les heures de classe. La veille, m'expliqua-t-elle, elle avait lavé les mitaines de Clair, qui n'avaient pas eu le temps de sécher au cours de la nuit. Or, ce matin, vu le froid extrême, elle avait cherché à dissuader Clair de venir à l'école, mais il n'y avait rien eu à faire, il était parti les mains nues. Et voici que la dame chez qui aujourd'hui elle faisait le ménage, la voyant en peine à cause des mitaines, lui avait permis de faire un saut pour les apporter à Clair.

Elle me les donna alors en me faisant remarquer qu'elles étaient un rien humides encore, mais que si je les plaçais sur le radiateur elles auraient tout le temps de sécher d'ici la fin de la classe. Elle me dit qu'elle me serait infiniment reconnaissante d'y voir, pouvant dès lors partir rassurée, car elle avait eu beau recommander à Clair de bien enfoncer ses mains dans ses poches, il pouvait oublier ou encore décider ce soir d'apporter à la maison son cahier pour le lui montrer, risquant d'avoir les mains gelées avant de s'en apercevoir... À cet âge, n'est-ce pas, on ne se rendait pas compte...

Je lui dis que j'y verrais et de ne plus se préoccuper à ce sujet.

Alors, sur le point de s'en aller, elle fut hésitante et, tout à coup, prit sur elle de me demander si j'étais contente de son petit garçon, s'il se montrait obéissant et poli, car, me dit-elle, elle avait peu de temps à lui consacrer, devant gagner leur vie à tous deux en faisant des ménages çà et là, et souvent elle avait peur que Clair s'en ressente et ne soit aussi *gentleman* qu'elle le souhaitait.

— Gentilhomme ! Mais on ne peut l'être plus que lui !

— Ah oui ! Vraiment !

Elle parut allégée d'une part de fatigue et d'inquiétude, quoique, dans sa modestie, loin d'être assurée que Clair fût aussi parfait que je le disais. Pourtant elle aurait voulu le croire et murmura :

— Si vous le dites ! Si c'est vous qui le dites !

Il lui restait de toute évidence un poids sur le cœur et soudain, sur le pas de la porte, cherchant le soutien de mon regard, elle me confia hâtivement :

— Parfois j'ai peur de ne pas bien faire. Je suis seule à élever Clair. Son père nous a quittés.

Je lui pris les mains. J'embrassai cette femme qui de sa douleur tirait tant de douceur.

Quand je revins à mon pupitre, je compris que Clair m'avait vue embrasser sa mère et qu'il en était ému comme on l'est de voir s'aimer entre eux ceux que l'on chérit. Il rayonnait, pour une fois absent de sa tâche, songeant à ce qui venait de se passer, le bout de sa langue venant goûter, on aurait dit, du miel sur sa lèvre. De le voir heureux me rendait moi-même tout heureuse. Hélas ! cela ne dura guère. Sa joie n'aboutit qu'à nourrir sa peine, lorsqu'il la retrouva à un détour de sa pensée. Alors il eut l'air plus triste que jamais. Lui ayant fait à propos de je ne sais quoi un petit compliment, je le vis prêt à pleurer. De ma part, même seulement un regard d'amitié faisait se gonfler sa lèvre.

Le temps se radoucit. Il neigea. Comme il convient au temps de Noël : une douce neige abondante pour recouvrir tout de frais et réjouir les yeux de mes petits élèves. Ils n'aimaient rien tant que de s'en venir à l'école sous ces flocons légers qu'ils s'efforçaient de cueillir au vol sur leurs lèvres entrouvertes ou dans leur paume tendue vers le ciel. Ils apportaient avec eux la bonne odeur de petits animaux à fourrure qui rentrent du froid. Parfois je trouvais intact sur leurs cils ou sur la manche d'un manteau un immense flocon en forme d'étoile. Je détachais avec précaution, pour la montrer à l'enfant qui la portait, cette merveille. Mes élèves, par leur joie, me redonnaient celles de mon enfance. Pour boucler le jeu, je cherchais à magnifier la leur afin qu'elle les accompagnât aussi tout au long de leur vie.

On arriva à l'avant-veille de Noël. C'était le dernier jour du trimestre. J'y faisais ma distribution de cadeaux, à peu près le même pour tous : une poignée de bonbons, trois ou quatre noix de Grenoble, un orteil de Nègre, un fruit, pomme ou orange, et quelque petit sifflet de métal ou autre rien semblable.

Nous prenions plaisir, les maîtresses des petits, à nous grouper à quatre heures passées, quelques jours avant Noël, dans la classe de l'une ou de l'autre, pour procéder à l'emballage de nos cadeaux. Ainsi profitions-nous des trouvailles de la plus ingénieuse d'entre nous, d'année en année nous donnant passablement de peine pour envelopper gracieusement chacun de nos modestes présents qui, en ces temps si durs, pour plus d'un enfant, étaient les seuls qu'il recevrait.

Pour que la distribution eût de quoi amuser mes petits, j'avais inventé un jeu. Et cette fois-ci encore je racontai :

— Je viens de rencontrer un visiteur inconnu. Il arrive à l'instant. Il porte sur le dos un grand sac rempli de cadeaux pour vous. Mais ce visiteur n'aime pas être vu. Le secret est son bonheur, le mystère, son ami. Vous allez donc croiser les bras sur votre pupitre, y cacher votre visage et faire semblant de dormir. Attention : il ne faut pas tricher et ouvrir un œil. Le visiteur s'en apercevrait et pourrait bien ne rien vous laisser.

Les enfants entrèrent dans le jeu. Ils fermèrent les yeux dur. (Une année, la distribution faite, j'avais eu à réveiller un de mes petits qui s'était endormi pour de bon, la tête sur son pupitre.) Je sortis les cadeaux de mon grand tiroir. Je glissai, les bras pleins, dans les allées et déposai un présent près de chaque petite tête aux yeux clos.

Ensuite j'allai à la porte, l'ouvris, dis à mi-voix comme à quelqu'un sur son départ : « Merci bien d'être venu. Les enfants vont être contents. Merci de leur part. Bon voyage, ami ! Et à l'année prochaine ! »

Je fermai la porte et, à voix haute, annonçai à mes élèves : « Ça y est. Il est parti. Regardez ce que vous a laissé le visiteur inconnu. »

Les enfants déchirèrent en grande hâte les cornets de papier que j'avais mis des heures à confectionner et enrubanner. Ils poussaient des oh !, des ah !, aussi doués que nous, les maîtres, à forcer le ton et le geste en ce temps de l'année.

Je regardais Clair développer lentement son paquet. Il resta silencieux, à contempler ce qu'il contenait, puis enfin leva sur moi un regard étrange, où la gratitude naturelle à son caractère accusait davantage sa tristesse de petit garçon aux mains vides.

Car il va sans dire que ses compagnons, dès le matin, avec cent manières, m'avaient à peu près tous présenté un cadeau, ou ce qui pouvait en avoir l'air : Petit-Louis, sans emballage ni rien, toute nue, une boîte de chocolats d'une livre, tout en grognant : « Le père me le paiera. C'est deux livres que je lui ai dit que je veux pour cette maîtresse-là, que je veux que je lui ai dit... » ; Johnny, des pantoufles qui me paraissaient toutes deux faites pour le même pied et si petites que je me demandais si elles n'étaient pas plutôt les « miennes à moi » que les « tiennes à toi » ; Ossip, une image de la Vierge du Perpétuel Secours qu'il tira, toute chiffonnée de sa poche, essayant de la défriper de la main, tout en m'expliquant que c'était là une puissante Dame qui accordait quasiment tout ce qu'on lui demandait... et que ça ne faisait rien d'être vieille, vieille, vieille, hein ? si on pouvait donner aux gens ce qu'ils désiraient ?... et j'assurai Ossip qu'en effet ce n'était rien d'être vieille et même irrémédiablement fripée quand on possédait le pouvoir de donner un bon coup de main au monde sur terre ; enfin Tascona qui, avant de recevoir ma pomme, m'avait offert la sienne, non sans y avoir pris une toute petite « mordée » dans un coin, si l'on peut dire.

Le clou de la journée, toutefois, avait été l'arrivée d'une espèce de géant à moustaches jaunes, en bonnet de lapin et hautes bottes, portant sous le bras un paquet mal fichu duquel il avait extrait trois roses à longue tige et petites feuilles lisses, qu'il m'avait mises dans les mains pour s'en aller ensuite sans me tourner le dos, me saluant de la taille à chaque pas, et répétant : « Anastasia envoie... Anastasia envoie... et que le Christ nouveau-né vous prenne en sa sainte garde. »

J'avais trouvé, pour les y déposer, un mince vase d'où elles émergeaient entre trois brins de verdure fine, au milieu de mon pupitre, dans un rayon de soleil, et si proches de leurs sœurs vivantes que deux de mes compagnes, entrées me dire un mot, s'étaient écriées : « Tu as reçu des roses ! Veinarde, va ! »

Et veinarde je l'étais d'avoir pu capter sur le visage de Nikolaï, à l'arrivée de son père, un tel saisissement que j'avais pu croire l'enfant étouffé de bonheur.

Depuis lors il était au paradis, n'ayant rien fait d'autre que de contempler les trois roses. Il était sorti de son rêve seulement pour venir déplacer le vase sur mon pupitre afin que les roses soient encore dans le soleil.

Et puis ce fut le moment de nous séparer pour les vacances de Noël. Les enfants, rhabillés, étaient alignés gentiment par deux le long du mur, prêts à partir, chacun son cadeau sous le bras. Par les fenêtres on voyait passer en tourbillons la neige qui n'avait cessé de tomber depuis deux jours. L'atmosphère était à la tempête. Comme toujours, avant de lâcher mes petits dans le mauvais temps, et d'ailleurs bien souvent au cours de l'hiver, je passai la classe en revue pour m'assurer que les manteaux étaient boutonnés jusqu'au col, les écharpes en place ; souvent, à la dernière minute, il fallait se mettre à chercher des mitaines égarées. J'allai de l'un à l'autre, remontant des écharpes, déboutonnant un manteau attaché de travers pour le reboutonner, constatant ici et là : « Tiens, il te manque un bouton, il faudra demander à ta mère de t'en recoudre un au plus vite… » J'en profitai pour faire mes vœux à chaque enfant et le remercier de son cadeau. « Merci, Petit-Louis, je vais bien me régaler de ton chocolat. Deux livres auraient été beaucoup trop, je t'assure… Merci à toi et à ton papa… Merci à toi aussi, Ossip, pour la Vierge qui accorde tout, elle va m'être bien utile. Merci, Tony, pour ta belle pomme ronde… Merci, Nikolaï, pour les roses. Je crois que je ne vais pas les laisser s'ennuyer toutes seules à l'école pendant les vacances, mais les apporter à la maison. » De joie, Nikolaï me saisit la main qu'il embrassa et me demanda :

— Tu es contente, hein ? Très contente ?

— Comme on ne peut l'être plus, Nikolaï.

J'arrivai à Clair. Ses cils retenaient des larmes. Je renouai son écharpe de laine bleue. Je m'assurai que ses mitaines étaient bien en place, pendant au bout d'un fil tricoté qui faisait le tour de la nuque et descendait à l'intérieur de chaque manche. Je les lui fis mettre d'avance et ne pus m'empêcher de remarquer qu'elles étaient devenues minces à l'usure, sans plus beaucoup de chaleur. Il tremblait pendant que je m'occupais de lui. Je le pris aux épaules.

— Veux-tu, lui dis-je, me faire le plus beau cadeau du monde ?

Clair, ne comprenant rien à ce que je pouvais encore attendre de lui, mais prompt comme toujours à accéder à mon moindre désir, fit oui de la tête.

— Eh bien ! ce serait de voir ce petit garçon me faire un sourire heureux.

L'enfant me regarda du fond de son chagrin et, cependant que tombaient ses larmes, sur ses lèvres fleurit un tendre, un adorable sourire.

Quelle tempête nous eûmes en cadeau ce jour de Noël! Une folle à lier! Elle emplissait l'air de gémissements, vieille détresse du fond des hivers, ou peut-être plutôt de ricanements amers : qu'avez-vous donc à espérer encore? Encore et toujours! Depuis le temps! Depuis le temps!...

La neige n'était plus ces flocons aux formes fines et déliées que j'avais pu cueillir, vivant de leur éphémère beauté, sur les cils des enfants, mais une malheureuse pourchassée à qui le vent ne permettait pas de se poser même pour un instant.

Dans cette tourmente, fait curieux, rien de familier ne subsistait à nos yeux que les poteaux de téléphone qui en émergeaient par instants, hauts marcheurs efflanqués qui, en butte aux rafales, ne perdaient quand même pas de terrain.

Nous étions seules, ma mère, ma sœur et moi. La mort nous avait pris beaucoup des nôtres, et la vie, éparpillé les autres à tous les vents.

À plusieurs reprises, maman était allée à la fenêtre; elle avait regardé dehors et s'était plainte :

— Par un temps pareil, il ne viendra personne!

— Qui veux-tu qu'il vienne?

Elle me jeta un regard mélancolique et ne s'expliqua pas. Et je me demandai qu'est-ce qu'une vieille mère qui a presque tout perdu de ce que la vie lui avait abondamment donné peut bien encore attendre à Noël?

D'ailleurs qu'est-ce que nous attendons tous, perpétuellement déçus, toujours prêts à recommencer? Le visiteur inconnu?

Moi aussi, sans trop m'en apercevoir, j'allai regarder dehors pour m'en plaindre :

— C'est un temps où l'on ne mettrait même pas un chat dehors.

Soudain, à travers les fifres aigus du vent, nous avons cru entendre l'appel étouffé de notre sonnerie de porte.

— Ce doit être un tour du vent, dit maman, ou un fil tordu qui a gémi. Va voir quand même.

J'ouvris la porte. Sur le seuil, il y avait bien quelqu'un. Un petit être blanc de neige, enveloppé de tant de laine pour le couvrir du mauvais temps qu'il n'avait plus forme humaine. J'abaissai l'écharpe qui protégeait le visage. C'était bien les yeux bleus de Clair. Et qui dansaient de joie. Sous son bras il serrait un petit paquet.

— Entre vite. Tu dois être transi. Être sorti par un temps pareil, comment ta mère a-t-elle pu le permettre ? Enlève tes affaires.

Mais avant il me tendit le petit paquet en disant :

— Joyeux Noël ! et voici de la part de maman et de moi...

Je l'aidai à se défaire de je ne sais combien de vestes et chandails. À la fin émergea le petit bonhomme familier dans son costume bleu comme tout neuf au col blanc fraîchement lavé et amidonné. Il s'assit au milieu de notre grand canapé. Jamais je n'avais vu ses yeux rayonner pareillement. Je lui offris du gâteau. Non ? Du lait alors ? Non plus. Tout heureux comme il était, il ne se tenait plus d'impatience de me voir ouvrir le paquet que je gardais pour le moment sur mes genoux.

Maman survint alors et s'immobilisa sur le seuil, saisie à la vue de l'enfant parmi nous. En ce jour, à cette heure, est-ce qu'il ne rapportait pas un peu de l'enfance de ses enfants devenus vieux, malades ou disparus dans la mort ?

Clair se leva et lui souhaita :

— *Merry Christmas, Mrs. Mother teacher !*

Je défaisais le paquet dont le papier avait déjà servi, les derniers plis ne tombant pas tout à fait dans les plus anciens. Je sortis de sa boîte un délicat mouchoir de toile de lin auquel collait encore sa petite étiquette verte attestant sa provenance d'Irlande. Quoique absolument propre, il n'était pas non plus tout neuf. Il avait cette douce teinte un peu triste d'ivoire pâle que prend, à la longue, le linge blanc même rangé avec le plus grand soin. Où donc, pendant des années, avait-il attendu sa curieuse destination ? J'imaginai qu'une de ces dames chez qui travaillait la mère de Clair avait pu, la veille de Noël, se souvenir de ce mouchoir oublié depuis longtemps dans quelque tiroir et se dire : « Tiens, cela me fera quelque chose à donner à cette pauvre femme ! »

Maman s'écria :

— Toi qui souhaitais si vivement un mouchoir de toile d'Irlande.

Je le portai à mon visage et dis à Clair :

— Il est doux comme un nuage.

Le bonheur de l'enfant, quoique silencieux, faisait penser à un vibrant éclat de clairon. Maintenant il était prêt à manger. Maman lui apporta un morceau de gâteau si énorme que je la réprimandai : « Tu veux donc le rendre malade. » À quoi elle répondit : « À son âge et puis avec cette marche qu'il lui reste à faire dans le vent déchaîné... »

Clair, assis au milieu du sofa, mangeait proprement, à la fourchette. Sa langue s'était déliée. Il nous raconta le beau Noël qu'ils passaient ensemble, sa mère et lui, tous deux ayant reçu des cadeaux d'une bien gentille dame chez qui sa mère faisait des journées depuis quelque temps. À l'heure actuelle, leur repas était au four, à cuire lentement. Il paraissait pourtant ne pas vouloir nous quitter. Nous écoutions comme si elle ne devait pas cesser sa petite voix surexcitée par trop de joie et d'émotion. Je dus lui rappeler que sa mère serait sûrement folle d'inquiétude tant qu'elle ne le verrait pas revenir. Il convint alors qu'elle lui avait en effet recommandé de ne pas tarder.

Je l'aidai à se rhabiller. Je constatai qu'il avait aujourd'hui deux paires de mitaines à enfiler l'une sur l'autre, les anciennes que je reconnaissais et de toutes neuves à dessins compliqués en brillantes couleurs. Ainsi recouvertes, les mains de Clair étaient deux fois plus grandes qu'au naturel. Il les étala sous mes yeux pour me faire admirer les mitaines neuves qu'il portait à l'extérieur.

— C'est le cadeau de ma mère. Elle me les a finies pendant la nuit. C'est un modèle qui est long à tricoter à cause des laines de différentes couleurs dont on se sert toutes à la fois, en veillant à ne pas les emmêler.

— Oui, mais il n'y en a pas de plus jolies. Le cadeau que tu m'as offert est encore mieux cependant. Aussi, tu as bien agi en me l'apportant en cachette des autres enfants. Ils auraient pu en être envieux.

Clair m'embrassa d'un pénétrant regard pour s'assurer que je ne disais pas cela seulement pour lui faire plaisir, et dans sa joie de me croire il parut tout à coup avoir des ailes.

Je lui ouvris la porte.

— Fais bien attention de ne pas t'égarer. Suis les poteaux.

Sous l'écharpe remontée à mi-visage, je l'entendis rire et se moquer gentiment :

— Maman aussi, tout le monde aujourd'hui m'a dit : « Suis les poteaux... »

Il s'envola dans la tempête, cabri bondissant à travers la neige affolée. Sa main dressée au-dessus de sa tête décrivait des signes d'amitié et je croyais l'entendre chantonner : « Au revoir... Au revoir... »

— Au revoir, en effet, petit Clair ! Au revoir, au Noël prochain ! Au revoir, à tous les Noëls !

L'alouette

Assez souvent je priais mes petits élèves de chanter ensemble. Un jour, au milieu de leurs voix plutôt ternes, j'en distinguai une, claire, frémissante, étonnamment juste. Je fis cesser le groupe pour laisser Nil continuer seul. La ravissante voix et de quel prix pour moi qui n'eus jamais beaucoup d'oreille pour la musique !

Dès lors je demandai :

— Donne le ton, veux-tu, Nil ?

Il le donnait sans se faire prier ni s'enorgueillir, enfant né pour chanter comme d'autres pour faire la moue.

Partait alors à sa remorque ma volée de passereaux que Nil entraînait tant bien que mal et, avant longtemps, plutôt bien que mal, car, outre son brillant talent, il possédait celui de paraître en donner aux autres. On écoutait Nil chanter et on se croyait tous capables de chanter.

L'heure du chant dans ma classe m'attira l'envie des maîtresses des classes avoisinantes.

— Que se passe-t-il ? Tous les jours, à présent, de ta classe, c'est un concert.

Il n'y avait rien à comprendre puisque je n'avais guère jusque-là brillé comme maîtresse de chant.

Notre vieil inspecteur des écoles, au cours de sa visite, en fut tout stupéfait.

— Comment se fait-il ! Vos élèves chantent mille fois mieux que ceux des années passées !

Puis il cessa de me guetter pour me demander plutôt de faire chanter encore une fois mes enfants, et la première chose que je sus, il était parti au loin d'une rêverie heureuse où il ne paraissait même plus se souvenir qu'il était inspecteur des écoles.

Peu après cette visite, je reçus celle de notre principal qui me dit d'un ton un peu narquois :

— Il paraît que vos élèves cette année chantent à ravir. Je serais curieux d'entendre ces anges musiciens. Les feriez-vous chanter pour moi ?

Notre principal était un homme de petite taille, mais que grandissait passablement sa huppe de cheveux dorés, dressés haut, à la Thiers. Sa tenue, qui était celle de nos Frères enseignants à l'époque, en imposait aussi : une redingote noire, un plastron bien blanc.

Je fis avancer mes élèves en un groupe compact, Nil, l'un des plus petits, presque caché au milieu. Je lui fis un signe bref. Il donna le ton juste assez haut pour être entendu de ses voisins. Un fil qui aurait vibré harmonieusement quelque part ! Et le chœur s'enleva avec un si bel entrain, dans un tel unisson que je me disais : le principal aussi n'y verra que du feu.

En tout cas, l'air narquois s'effaça vite de son visage. Au lieu de quoi je vis apparaître chez lui aussi, à ma grande surprise, une expression de rêve heureux comme s'il avait perdu de vue qu'il était un directeur toujours occupé à diriger son école.

Les mains au dos, il balançait un peu la tête au rythme du chant et continua un moment encore, après qu'il fut terminé, à l'écouter de mémoire.

Mais lui avait repéré la voix captivante. Il fit sortir Nil du rang, le considéra longuement d'un regard attentif, lui tapota la joue.

Il me dit comme je le reconduisais à la porte :

— Voilà donc qu'avec vos trente-huit moineaux, vous avez hérité cette année d'une alouette des champs. Connaissez-vous cet oiseau ? Qu'il chante, et il n'y a pas de cœur qui ne se sente allégé !

J'étais encore trop jeune moi-même, je suppose, pour comprendre ce qu'est un cœur allégé. Pourtant, bientôt, j'en eus quelque idée.

Cette journée-là avait fort mal commencé, sous une battante pluie d'automne, les enfants arrivant enrhumés, mouillés, grognons, avec d'énormes pieds boueux qui eurent vite transformé en une sorte d'écurie ma salle de classe que j'aimais brillante de propreté. Si j'allais ramasser une galette à peu près intacte de terre noire, deux ou trois enfants le faisaient exprès pour en écraser et disperser d'autres, du bout du pied, dans les allées, tout en me guettant d'un air sournois. Je ne reconnaissais plus mes élèves dans ces petits rebelles pour un rien prêts à se dresser contre moi, pas plus qu'eux peut-être ne reconnaissaient en moi leur maîtresse bien-aimée de la veille. Que se passait-il donc alors pour nous transformer presque en ennemis ?

Certaines de nos compagnes parmi les plus expérimentées mettaient en cause les moments qui précèdent l'orage, les nerfs délicats des enfants subissant mal la tension atmosphérique ; ou encore les journées qui suivent un long congé. Les enfants ayant repris goût à la liberté, le retour à l'école leur fait tout l'effet d'une rentrée en geôle, ils n'obéissent plus en rien, d'autant plus agités, remuants et impossibles qu'ils sentent bien dans le fond, les pauvres petits, que leur révolte contre le monde adulte n'a aucune chance d'aboutir jamais.

Je faisais à mon tour l'expérience d'une de ces journées détestables, la maîtresse ne semblant être à l'école que pour sévir, les enfants pour plier, et toute la tristesse du monde s'installe alors dans ce lieu qui peut être si gai à d'autres heures.

Le mauvais temps persistant, au lieu d'aller passer au grand air cet excès de nervosité, nous avons dû prendre la récréation dans le gymnase du sous-sol, les pieds résonnant dur sur le terrazzo. Les enfants se querellèrent pour des riens. J'eus à soigner des lèvres fendues, des nez qui saignaient.

Puis, tout juste revenus des lavabos, les enfants quittaient leur pupitre à tour de rôle pour venir me demander la permission d'y redescendre. Impossible de continuer ma leçon dans ce va-et-vient ! Un enfant partait, un autre revenait, la porte s'ouvrait, un courant d'air soulevait les cahiers, on les repêchait couverts de boue, la porte claquait, un autre enfant partait. Tout d'un coup, n'en pouvant plus, je dis : « Non, c'est assez, il y a tout de même des limites. » Or, sans que j'eusse réfléchi, comme par un fait exprès, mon « non » tomba sur le petit Charlie, doux enfant sans malice que sa mère purgeait deux ou trois fois par année au soufre apprêté à la mélasse. Retourné à sa place, Charlie ne put longtemps se retenir. L'odeur le dénonça à ses voisins, petits monstres qui firent mine d'être scandalisés et me crièrent de leur place comme si ce n'était pas assez évident : « Charlie a fait dans sa culotte. » Je dus écrire en hâte une lettre pour sa mère que je savais vindicative, pendant que Charlie, à mon pupitre, attendait, les jambes écartées, pleurnichant de honte.

Je n'eus pas longtemps à attendre les suites, Charlie parti depuis une demi-heure, le principal montra la tête dans le haut vitré de la porte, me faisant signe qu'il avait à me parler. C'était déjà mauvais quand il nous demandait dans le corridor. La mère de Charlie, m'apprit-il, venait de téléphoner. Elle était si furieuse qu'il avait eu de la peine à la dissuader de me poursuivre en justice. A beau rire qui veut, cela se voyait, des parents prêts à traduire en justice une maîtresse pour moins encore, et pour ma part j'étais accusée d'avoir contraint la mère de Charlie à relaver le linge de celui-ci, tout remis au propre la veille justement.

Je tentai de présenter les faits à ma manière, mais le principal me fit sévèrement observer que mieux valait laisser aller toute une classe pour rien aux lavabos qu'en priver un enfant qui en avait besoin.

Était-ce parce que j'avais honte de moi-même, j'essayai de faire honte aux enfants pour s'être montrés depuis le matin

sous leur plus mauvais jour. Ils n'en parurent pas du tout contrits ; bien au contraire, ils eurent l'air contents d'eux-mêmes, la plupart.

J'allai m'asseoir, totalement découragée. Et l'avenir s'en vint se jeter sur moi pour me peindre mes années à venir toutes pareilles à aujourd'hui. Je me voyais dans vingt ans, dans trente ans, à la même place toujours, usée par la tâche, l'image même de mes compagnes les plus « vieilles » que je trouvais tellement à plaindre, si bien qu'à travers elles je me trouvai aussi à plaindre. Il va sans dire, les enfants profitaient de mon abattement pour courir les uns après les autres dans les allées et augmenter encore le charivari. Mes yeux tombèrent sur le petit Nil. Presque tous les enfants déchaînés, lui, à sa place, essayait de se concentrer sur son dessin. Hors chanter, ce qui l'intéressait le plus, c'était de dessiner la même cabane toujours, entourée de curieux animaux, les poules aussi hautes que les vaches.

Je l'appelai, je pense, comme au secours :

— Nil, viens donc !

Il arriva à la course. C'était un drôle de petit bonhomme et toujours drôlement accoutré. Aujourd'hui, des bretelles d'homme à peine raccourcies soutenaient un pantalon trop large dont la fourche lui arrivait aux genoux. Ses bottes devaient être également trop grandes, car je les avais entendues claquer comme il accourait. Avec sa touffe de cheveux filasse, sa tête carrée, plate au sommet, il avait tout l'air d'un bon petit koulak décidé à s'instruire. En fait, lorsqu'il ne chantait pas, il était le dernier de la classe que l'on aurait pu prendre pour une alouette.

Il se pencha sur moi avec affection.

— Qu'est-ce que tu veux ?

— Te parler. Dis-moi, qui t'a enseigné à si bien chanter ?

— Ma mère.

Je l'avais aperçue une fois à la distribution des bulletins : un doux sourire gêné, de hautes pommettes comme celles de Nil,

un beau regard profond sous le fichu de tête très blanc, une ombre timide partie comme elle était venue, en silence, car savait-elle seulement plus que quelques mots hors sa langue ukrainienne ?

— Elle t'enseigne donc en ukrainien ?

— Bien oui !

— Tu en connais beaucoup de chants ukrainiens ?

— Des centaines !

— Tant que ça ?

— Bien, en tout cas, pour sûr, dix... douze...

— Tu nous en chanterais un ?

— Lequel ?

— Celui que tu voudras.

Alors il se campa comme pour résister à du vent, les pieds écartés, la tête projetée en arrière, le regard déjà vif, se transformant sous mes yeux infiniment plus que j'avais pu le voir jusqu'à cette fois-ci — la première où il chanta à l'école dans la langue de sa mère —, petit rustique devenu un possédé de musique. Le corps se balançait à un rythme enlevant, les épaules se soulevaient, les yeux lançaient des flammes et un sourire écartait de temps en temps les lèvres un peu charnues, cependant que de sa main levée il paraissait nous indiquer au loin dans un geste gracieux quelque joli spectacle, et l'on ne pouvait que suivre le geste et tenter de voir aussi ce qui le mettait en joie. Je ne savais ce qui était le mieux : l'écouter les yeux fermés pour goûter sans être distraite cette délicieuse voix ; ou le regarder faire, si vivant, si enjoué, qu'il semblait près de s'élever du sol.

Quand prit fin l'aimable chant, nous étions dans un autre monde. Les enfants d'eux-mêmes avaient peu à peu regagné leur place. La classe était dans une paix rare. Moi-même je ne désespérais plus de mon avenir. Le chant de Nil avait retourné mon cœur comme un gant. J'étais à présent confiante en la vie. Je demandai à Nil :

— Sais-tu au moins de quoi il est question dans ton chant ?

— Bien sûr.

— Tu saurais nous l'expliquer ?

Il se lança dans son histoire :

— Il y a un arbre. C'est un cerisier en fleurs. Au pays d'où vient ma mère c'en est tout plein. Ce cerisier, il est au milieu d'un champ. Autour dansent des jeunes filles. Elles attendent leurs amoureux qui vont venir.

— Quelle jolie histoire !

— Oui, mais elle va être triste, fit Nil, car il y a un des amoureux qui a été tué à la guerre.

— C'est dommage.

— Non, dit Nil, car ça va donner une chance à celui qui aime en secret et qui est le bon.

— Ah, tant mieux ! Mais où donc ta mère a-t-elle appris ces chants ?

— Dans le pays, avant d'émigrer, quand elle était une petite fille. Maintenant, elle dit que c'est tout ce qui nous reste de l'Ukraine.

— Et elle se hâte de les faire passer dans ta petite tête pour les garder à ton tour ?

Il me considéra gravement, pour être bien sûr de comprendre ce que je disais, puis me sourit affectueusement.

— J'en perdrai pas un seul, dit-il, et il demanda : Veux-tu que je t'en chante un autre ?

Maman, voici près de trois mois, s'était fracturé une hanche. Elle avait été longtemps immobilisée dans un corset de plâtre. Le docteur le lui avait enfin enlevé et affirmait que maman marcherait, si elle persévérait dans l'effort. Elle s'y livrait tous les jours, mais ne parvenait pas à faire avancer sa jambe malade. Depuis une semaine ou deux, je la voyais perdre espoir. Je la surprenais, dans son fauteuil près de la fenêtre, à regarder dehors avec une expression de déchirant regret. Je la morigénais pour ne pas lui laisser croire que j'avais peur pour elle. Si vive, si active, si indépendante de caractère, que serait sa vie si elle devait rester infirme? L'effroi que j'avais éprouvé un jour de devoir rester toute ma vie enchaînée à ma tâche d'institutrice me permettait d'entrevoir ce que pouvait être son sentiment à la perspective de ne plus quitter sa place de prisonnière, à la fenêtre.

Un jour j'eus l'idée de lui emmener Nil pour la distraire, car elle trouvait le temps « long à périr ».

— Viendrais-tu, Nil, chanter pour ma mère à moi qui a perdu toutes ses chansons?

Il avait une façon d'acquiescer, sans mot dire, en plaçant sa petite main dans la mienne comme pour signifier : « Tu sais bien que j'irais avec toi jusqu'au bout du monde... » qui m'allait droit au cœur.

En cours de route, je lui expliquai que maman était bien plus vieille que sa mère et que c'était difficile à l'âge qu'elle avait de retrouver la confiance perdue, et encore aujourd'hui je me demande ce qui avait pu me pousser à donner de telles explications à un enfant de six ans et demi. Pourtant, il les écoutait dans le plus grand sérieux, en cherchant de toutes ses forces ce que je pouvais bien attendre de lui.

Quand maman, qui avait sommeillé, ouvrit les yeux et aperçut auprès d'elle ce petit bonhomme à bretelles, elle dut penser qu'il était un de mes petits pauvres comme je lui en avais tant de fois emmené pour qu'elle leur fît un manteau ou leur en arrangeât un à leur taille, car elle me dit avec un peu d'amertume, triste surtout, je pense, de n'être plus en état de rendre service :

— Voyons, tu sais bien que je ne peux me remettre à coudre, à moins que ce ne soit de légères retouches à la main.

— Il ne s'agit pas de cela. C'est une surprise. Écoute!

Je fis signe à Nil. Il se campa devant maman comme pour

prendre pied dans du vent et se lança dans la gaie chanson du cerisier. Son corps se balançait, ses yeux pétillaient, un sourire vint sur ses lèvres, sa petite main se leva et parut désigner au loin de cette chambre de malade une route ? une plaine ? ou quelque pays ouvert qui donnait envie de le connaître.

Quand il eut fini, il considéra maman qui ne disait mot et lui dérobait son regard. Il proposa :

— T'en veux-tu encore une de mes chansons ?

Maman, comme de loin, acquiesça de la tête, sans montrer son visage qu'elle continuait à cacher derrière sa main.

Nil chanta une autre chanson, et, cette fois, maman redressa la tête, elle regarda l'enfant souriant et, avec son aide, partit elle aussi, prit son envol, survola la vie par le rêve.

Ce soir-là elle me demanda de lui apporter une solide chaise de cuisine à haut dossier et de l'aider à se mettre debout devant cette chaise qui lui servirait d'appui.

Je lui fis remarquer que la chaise en glissant pourrait l'entraîner à tomber. Elle me fit donc déposer sur le siège un gros dictionnaire très lourd pour rendre la chaise plus stable.

C'est avec cette curieuse « marchette » de son invention que maman dès lors reprit ses exercices. Des semaines encore passèrent. Je ne voyais toujours pas de changement. Je me décourageais tout à fait. Maman aussi sans doute, car elle ne semblait plus faire d'efforts... Ce que je ne savais pas, c'est qu'ayant saisi qu'elle était sur le point de réussir elle avait décidé de continuer ses exercices en cachette de moi afin de me faire une surprise. Pour une surprise, c'en fut une ! Je me sentais ce soir-là dans le plus morne abattement lorsque, de sa chambre, je l'entendis s'écrier :

— Je marche ! Je marche !

J'accourus. Maman, tout en poussant la chaise, avançait à petits pas mécaniques comme ceux d'une poupée au ressort bien remonté et elle n'arrêtait pas de jeter son cri de triomphe :

— Tu vois ! Je marche !

Bien sûr, je ne dis pas que Nil fit un miracle. Mais est-ce qu'il ne souffla pas au bon moment sur la foi vacillante de ma mère ?

Quoi qu'il en soit, cette expérience me donna le goût d'en tenter une autre.

L'année précédente, j'avais accompagné, un soir, une de mes compagnes avec un groupe de ses élèves qui interprétèrent une petite pièce de théâtre devant les vieillards d'un hospice de notre ville.

De toutes les prisons que l'être humain se forge pour lui-même ou qu'il a à subir, aucune, encore aujourd'hui, ne me paraît aussi intolérable que celle où l'enferme la vieillesse. Je m'étais juré de ne plus jamais remettre les pieds dans cet endroit qui m'avait si profondément bouleversée. Mais il faut croire qu'en un an j'avais dû accomplir quelque progrès en compassion, car voici que j'eus en tête le projet d'emmener Nil là-bas. Lui seul me semblait devoir être capable de réconforter les vieillards que j'avais vus emmurés à l'hospice.

J'en parlai au principal qui réfléchit longuement et me dit que l'idée avait du bon… beaucoup de bon… mais qu'il me faudrait tout d'abord obtenir l'autorisation de la mère.

Je m'appliquai à rédiger une lettre pour la mère de Nil dans laquelle je lui disais en substance que les chants emportés par elle d'Ukraine et transmis à son fils semblaient exercer sur les gens d'ici une action bienfaisante, comme peut-être ils l'avaient fait sur ses gens à elle… aidant à vivre… En conséquence, me prêterait-elle Nil pour une soirée qui se terminerait un peu tard ?

Je lus la lettre à Nil en lui demandant de bien se la graver dans la tête, car il aurait à la lire chez lui et à en faire la traduction exacte à sa mère. Il écouta très attentivement et, aussitôt que j'eus terminé, me demanda si je voulais l'entendre me la répéter mot pour mot, pour m'assurer qu'il l'avait bien toute dans la tête, et je lui dis que ce n'était pas nécessaire, que j'avais confiance dans sa mémoire.

Le lendemain, Nil m'apporta la réponse sur un bout de papier découpé dans un sac d'épicerie. Elle était conçue en style télégraphique : « Prêtons Nil aux vieux. »

C'était signé en lettres qui ressemblaient à de la broderie : *Paraskovia Galaïda.*

— Que ta mère a donc un beau nom ! dis-je à Nil en m'efforçant de le lire correctement.

Et il me pouffa au nez à m'entendre le prononcer si mal.

L'hospice possédait sa propre petite salle de spectacle avec une estrade élevée de deux marches qu'une herse de jeux de lumière éclairait en douce, l'isolant en quelque sorte de la salle.

Pris dans un faisceau de lumière dorée, Nil était ravissant à voir avec ses cheveux couleur paille et la blouse ukrainienne à col brodé que lui avait fait mettre sa mère. Pour ma part je regrettai cependant un peu mon petit bonhomme à bretelles. Sur son visage à hautes pommettes éclatait déjà la joie de chanter. D'où je me tenais pour lui souffler au besoin que faire, je pouvais voir la salle aussi bien que la scène, et c'était là, on aurait pu penser, que se jouait le spectacle de la vie qui dit son dernier mot.

Au premier rang, un vieil homme agité de tremblements convulsifs était comme un pommier que l'on aurait secoué et secoué alors que depuis longtemps il avait rendu tous ses fruits. On entendait quelque part siffler une respiration ainsi que du vent pris au piège d'un arbre creux. Un autre vieillard courait après son souffle dans une angoisse mortelle. Il y avait vers le milieu de la salle un demi-paralysé dont le regard vivant dans un visage inerte était d'une lucidité insoutenable. Une pauvre femme n'était plus qu'une énorme masse de chair gonflée. Et sans doute y avait-il des indemnes, si de n'être qu'irrémédiablement fripé, ridé, rétréci, érodé par quelque procédé d'une inimaginable férocité représentait ici la bonne fortune. Où donc la vieillesse est-elle le plus atroce ? Quand on y est comme ces gens de l'hospice ? Ou vue du lointain, depuis la tendre jeunesse qui voudrait mourir à ce spectacle ?

Alors jaillit dans cette fin de jour, comme du brillant matin de la vie, la claire voix rayonnante de Nil. Il chanta le cerisier en fleurs, la ronde des amoureuses dans la prairie, l'attente des cœurs jeunes. D'un geste charmant de naturel, souvent il levait la main et montrait une route à suivre... ou quelque horizon que, à voir briller ses yeux, on imaginait lumineux. À un moment ses lèvres s'ouvrirent en un si contagieux sourire qu'il sauta la rampe et s'imprima, doux et frais comme il était, sur les vieux visages. Il chanta l'aventure de Petriouchka pris dans ses propres manigances. Il chanta un chant que je ne lui avais pas encore entendu rendre, un doux chant mélancolique où il était question du Dniepr qui coule et coule, emportant vers la mer rires et soupirs, regrets et espoirs, et à la fin tout devient un même flot.

Je ne reconnaissais plus les vieillards. Au soir sombre de leur vie les atteignait encore cette clarté du matin. Le vieil homme agité parvint à suspendre pendant quelques secondes ses tremblements pour mieux écouter. L'œil du paralytique se reposa d'errer, de chercher, d'appeler au secours, orienté de manière à voir Nil du mieux possible. Celui qui courait après son souffle sembla le retenir de ses deux mains serrées sur sa poitrine en un geste de merveilleux répit. Ils avaient l'air heureux maintenant, tous suspendus aux lèvres de Nil. Et le spectacle tragique de la salle se terminait en une espèce de parodie, les vieillards s'agitant comme des enfants, les uns prêts à rire, les autres à pleurer, parce qu'ils retrouvaient si vivement en eux la trace de ce qui était perdu.

Alors je me dis que c'était trop cruel à la fin et que jamais plus je n'emmènerais Nil chanter pour rappeler l'espoir.

Comment, sans publicité aucune, la renommée de mon petit guérisseur des maux de la vie se répandit-elle, je serais en peine de le dire, pourtant bientôt on me le réclamait de toutes parts.

Un jour, par le haut vitré de la porte, le principal me fit signe qu'il avait à me parler.

— Cette fois, me dit-il, un hôpital psychiatrique nous demande notre petite alouette d'Ukraine. C'est grave et exige réflexion.

Oui, c'était grave, cependant encore une fois et comme en dehors de ma volonté, ma résolution était prise. Si Paraskovia Galaïda me donnait son consentement, j'irais avec Nil chez les « fous », comme on les appelait alors.

Elle me l'accorda sans peine. Je me demande si elle s'inquiétait seulement de savoir où nous allions, sans doute aussi confiante en moi que l'était Nil.

Chez les malades mentaux aussi il y avait une salle de spectacle avec une estrade, mais sans herse ni feux de rampe pour séparer quelque peu ce côté-ci de celui-là. Tout baignait dans la même lumière égale et terne. Si le monde de la vieillesse, à l'hospice, avait pu me faire penser au dernier acte d'une pièce qui s'achève tragiquement, ici j'eus l'impression d'un épilogue mimé par des ombres au-delà d'une sorte de mort.

Les malades étaient assis en rangs dociles, apathiques la plupart, les yeux mornes, se tournant les pouces ou se mâchouillant les lèvres.

Nil fit son entrée sur l'étroite plateforme de la scène. Un courant de surprise se manifesta dans la salle. Déjà même quelques malades s'agitèrent à l'apparition merveilleuse que constituait ici un enfant. L'un d'eux, tout surexcité, le désignait du doigt dans une sorte d'effarement joyeux, comme pour se faire confirmer par d'autres ce que ses yeux voyaient sans pouvoir y croire.

Nil se campa, les pieds écartés, une mèche sur le front et, cette fois, les mains aux hanches, car il allait commencer par *Kalinka* que sa mère venait de lui apprendre et dont il rendait le rythme endiablé avec une fougue adorable.

Dès les premières notes s'établit un silence tel celui d'une forêt qui se recueille pour entendre un oiseau quelque part sur une branche éloignée.

Nil se balançait, il était possédé d'un entrain irrésistible, tantôt esquissait un geste doux, tantôt frappait ses mains avec emportement. Les malades en bloc suivaient ses mouvements. Ils étaient dans le ravissement. Et toujours ce silence comme d'adoration.

Kalinka terminé, Nil expliqua en quelques mots, ainsi que je le lui avais appris, le sens de la chanson suivante. Il fit tout cela avec le plus grand naturel sans plus s'en faire que s'il eût été à l'école parmi ses compagnons. Puis il bondit de nouveau dans la musique comme si jamais il ne se rassasierait de chanter.

À présent, les malades haletaient doucement comme une seule grande bête malheureuse dans l'ombre qui aurait pressenti sa mise en liberté.

Nil passait d'un chant à l'autre, un triste, un gai. Il chantait sans voir les fous plus qu'il n'avait vu les vieux, la maladie, le chagrin, les tourments du corps et de l'âme. Il chantait le doux pays perdu de sa mère qu'elle lui avait donné à garder, sa prairie, ses arbres, un cavalier seul s'avançant au loin dans la plaine. Il termina par ce geste de la main dont je ne pouvais me lasser, qui indiquait toujours comme une route heureuse au bout de ce monde, cependant que du talon il frappait le plancher.

Aussitôt, je crus que les malades allaient se jeter sur lui. Les plus proches cherchèrent à l'atteindre quand il descendit de la petite estrade. Ceux d'en arrière bousculaient les premiers rangs pour arriver aussi à le toucher. Une malade l'attrapa par le bras, elle l'attira un moment sur sa poitrine. Une autre le lui arracha pour l'embrasser. Ils voulaient tous s'emparer de l'enfant merveilleux, le saisir vivant, à tout prix l'empêcher de partir.

Lui qui avait soulagé sans l'avoir reconnue tant de tristesse, il prit peur à la vue du terrible bonheur qu'il avait déchaîné. Ses yeux pleins de frayeur m'appelèrent au secours. Un garde le dégagea doucement de l'étreinte d'une malade qui sanglotait :

— Enfant, petit rossignol, reste ici, reste avec nous.

Au milieu de la salle une autre pleurait et le réclamait :

— C'est mon petit garçon qu'on m'a volé, il y a longtemps. Rendez-le-moi. Rendez-moi ma vie.

Je le reçus tout tremblant dans mes bras.

— Allons, c'est fini ! Tu les as rendus trop heureux, voilà tout, trop heureux !

Nous sommes descendus du taxi pour continuer jusque chez Nil. Il semblait avoir oublié la pénible scène de l'hôpital et ne fut bientôt plus qu'au souci de me guider, car, aussitôt que nous eûmes quitté le trottoir, je ne savais plus, pour ma part, où poser le pied.

On était au début de mai. Il avait plu très fort pendant plusieurs jours et les champs à travers lesquels me conduisait Nil n'étaient que boue avec, de place en place, des touffes basses d'arbrisseaux épineux auxquels s'accrochaient mes vêtements. Je devinais plutôt que je ne voyais cet étrange paysage, car il n'y avait plus de lampes de rue là où nous allions. Ni même à proprement parler de chemin. Tout juste une sorte de vague sentier où la boue tassée formait un fond un peu plus ferme qu'ailleurs. Il serpentait de cabane en cabane dont les fenêtres faiblement éclairées nous guidaient quelque peu. Nil toutefois ne semblait en avoir aucunement besoin, se dirigeant dans cette pénombre avec la sûreté d'un chat, sans même se mouiller, car il sautait avec aisance d'une motte à peu près sèche à une autre. Puis nous étions sur les bords d'une étendue de boue molle qui dégorgeait de l'eau comme une éponge. Pour la traverser, des planches jetées çà et là formaient un trottoir en zigzag, parfois interrompu. L'écart entre elles était d'ailleurs toujours plus grand que celui d'une enjambée. Nil le franchissait d'un bond, puis se retournait et me tendait la main en m'encourageant à prendre mon élan. Il était tout au bonheur de m'emmener chez lui, et il n'y avait sûrement pas de place chez cet enfant joyeux pour le sentiment que je puisse le trouver à plaindre de vivre dans cette zone de déshérités. Il est vrai que sous le haut ciel plein d'étoiles, avec ses cabanes le dos à la ville, tournées vers la prairie que l'on pressentait vaste et libre, ce bidonville exerçait un curieux attrait. Par bouffées nous arrivait toutefois une odeur fétide qui en gâtait le souffle printanier. Je demandai à Nil d'où elle provenait, et d'abord, tant il y était habitué, je suppose, il ne comprit pas de quelle odeur je parlais. Après coup, il pointa l'index derrière nous vers une longue masse sombre qui barrait l'horizon.

— L'abattoir, dit-il, ça doit être l'abattoir qui pue.

Nous avions maintenant traversé la mare boueuse, et il était dit que j'irais ce soir de surprise en surprise, car l'odeur déplaisante subitement laissa place à celle toute simple et bonne de la terre trempée. Puis m'arriva un parfum de fleur. Nous approchions de chez Nil, et c'était la puissante odeur d'une jacinthe, dans son pot, dehors, près de la porte, qui luttait à forces presque égales contre les derniers relents de l'abattoir. Quelques pas encore, et elle régnait. De même, d'un étang proche, monta un chant de grenouilles triomphant.

Paraskovia Galaïda avait dû guetter notre venue. Elle sortit à la course d'une cabane sans doute faite elle aussi de vieux bouts de planches et de rebuts ; à la lueur d'un croissant de lune qui filtra entre des nuages, elle me parut cependant d'une singulière blancheur, propre et douce comme si on venait de la passer au lait de chaux. Elle était au milieu d'un enclos. Une barrière le fermait, qui n'était rien d'autre, autant que je pus en juger, qu'un montant de lit en fer tournant sur des gonds fixés à un poteau. On les entendit crier quand Paraskovia Galaïda ouvrit précipitamment la barrière pour nous accueillir dans le clos parfumé. L'éclairage singulier de cette nuit révéla que tout ici était rigoureusement propre, jusqu'à la peu banale barrière, elle aussi blanchie au lait de chaux.

Paraskovia me saisit les mains et allant à reculons m'entraîna vers la maison. Devant, il y avait un fruste banc de bois. Elle m'y fit asseoir, entre Nil et elle-même. Aussitôt, sortant de l'ombre, le chat de la maison sauta sur le dossier du banc où il s'assit à l'étroit, pour faire partie de notre groupe, la tête entre nos épaules et ronronnant.

Je tentai, par l'intermédiaire de Nil, d'exprimer à Paraskovia Galaïda quelque chose de la joie que les chants de son petit garçon avaient apportée à tant de gens déjà, et elle, à travers lui, chercha à me dire ses remerciements pour je ne compris pas trop quoi au juste. Bientôt nous avons renoncé à épancher nos sentiments à l'aide de mots, écoutant plutôt la nuit.

Il me sembla alors saisir un signe de Paraskovia Galaïda à Nil. Les lèvres closes, elle lui donna le ton un peu comme lui-même le donnait à l'école. Une délicate vibration musicale de la gorge fila un moment. Puis leurs voix partirent, l'une un peu hésitante tout d'abord, mais vite entraînée par la plus sûre. Alors elles montèrent et s'accordèrent en plein vol dans un chant étrangement beau qui était celui de la vie vécue et de la vie du rêve.

Sous le ciel immense, il prenait le cœur, le tournait et retournait, comme l'aurait fait une main, avant de le lâcher, pour un instant, avec ménagement, à l'air libre.

Demetrioff

I

Quand tout allait pour le mieux à l'heure de la récréation dans la grande cour de l'école, les enfants s'amusant à la balle molle, aux barres, dans les balançoires ou simplement à courir en liberté, il nous arrivait, les maîtresses des petites classes, les six ensemble, de nous promener trois de front, trois à reculons, toujours nous faisant face, jusqu'au bout du parcours où l'ordre était inversé, et, en nous lançant drôleries et reparties, de nous divertir presque autant que nos enfants.

La surveillance, ces jours-là, était facile. La bonne humeur des enfants pour ainsi dire nous en délivrait. Nous nous en donnions à cœur joie. Et sans doute, à quelqu'un arrêté au milieu du trottoir pour nous observer à travers les mailles de la haute clôture d'acier, notre monde eût-il paru à part, protégé, épargné, la garantie de lendemains heureux. Et sans doute cela était-il vrai en partie, mais aussi que n'annonçait-il pas déjà parfois de malheurs à venir, de tares déposées en de jeunes vies innocentes par des hérédités funestes.

Trois de front, trois à reculons, mais le visage grave cette fois, nous en parlions entre nous, et de l'impossibilité d'agir parfois contre le mal ou le malheur accumulé en un seul être, Anna s'étant plainte amèrement :

— Je ne sais vraiment plus que faire de mon Demetrioff. Depuis trois mois qu'il me nargue, les bras croisés !

— Ne t'en plains pas trop, conseilla Léonie. Le mien les a décroisés et depuis ce temps il cogne sur tout le monde.

— Quel âge a ton Demetrioff? demanda Anna.

— Onze ans.

— Le mien n'en a que dix, fit Anna, mais son visage annonce soixante ans de ruse et de stupide entêtement. Je ne sais vraiment plus qu'en faire. Toi, demanda-t-elle à Gertrude, de quoi a-t-il l'air, ton Demetrioff?

— D'un Demetrioff, que veux-tu que je te dise! Huit ans seulement et déjà Demetrioff jusqu'au bout des ongles... À propos, les vôtres les ont-ils aussi rongés jusqu'au sang? Et d'où leur viennent, me direz-vous bien, leur peau si brune à tous et cette odeur, cette odeur à empester toute une classe?

— De la tannerie du père Demetrioff, nous apprit Denise. Vous n'êtes jamais allées de ce côté vers leur petit bout de rue à eux, si on peut encore appeler ça une rue? À cinq minutes de distance, l'odeur vous prend à la gorge. Il y a de quoi vous étouffer. La tannerie c'est une espèce de trou sombre où l'on entend gronder de l'eau et où l'on aperçoit, noirs comme des démons, s'agiter les enfants Demetrioff sous les jurons du père. La mère, elle, se tient impassible sur le seuil de la cabane à côté et elle a l'air propre. Ce qui me fait penser que les Demetrioff se lavent peut-être plus qu'on ne croit, mais comment voulez-vous que cela y paraisse! Deux minutes après, l'odeur s'est recollée à leurs cheveux, à leur peau. Leur couleur, je n'en serais pas surprise, leur vient aussi de vivre dans les émanations du cuir trempé.

— Sûr et certain, reprit Gertrude, qui a vu un Demetrioff les a tous vus. Il y en a encore deux ou trois grands qui traînent dans les classes des Frères. Seize ans... dix-sept ans... peut-être! Mettez l'un des petits à côté d'eux et c'est le même visage exactement en juste un peu moins coriace. Je n'ai jamais vu enfants sortir à ce point identiques du moule originel.

— Ils ne font pas leur année? ai-je demandé.

Toutes m'ont regardée dans l'ahurissement que j'en sois à poser la question.

— Il n'y a pas un Demetrioff, m'apprit Léonie, qui a jamais fait son année. Quand une maîtresse a eu l'un d'eux une seconde année et qu'elle n'en peut plus, elle force la note, elle lui décerne cinquante pour cent et le refile à un grade plus élevé. Le principal ferme les yeux. Il sait qu'on ne peut faire autrement.

— Ils n'apprennent donc rien ?

— Pratiquement rien.

— Pourquoi ? Parce qu'ils sont bouchés ?

— Non, on ne dirait pas qu'ils sont bouchés, dit Léonie. Mais d'abord ils nous arrivent ne parlant que le russe... une sorte de russe... Ensuite le père les garde à travailler pendant des semaines quand ça fait son affaire, puis subitement les renvoie un beau jour à l'école à coups de pied au derrière. Non, ils ne sont pas bouchés, mais entêtés comme des mules et mettant leur résistance, on dirait, à prouver au père qu'ils ne sont pas faits pour l'école.

— Ils apprennent quand même un peu, il faut en convenir, dit Denise. Le Frère Henri, qui a le deuxième ou le troisième des grands, soutient que celui-là sait lire et écrire... quand il veut bien.

J'étais dans l'ébahissement, jeune institutrice à mes premières années, de les entendre parler de tant de Demetrioff.

— Voulez-vous bien me dire combien il y en a dans cette école ? ai-je demandé.

— Combien de Demetrioff ?

Léonie s'absorba.

— Je sais que pour ma part j'en suis à mon cinquième. Oui, mes enfants, mon cinquième Demetrioff, et le principal me dit que de ce fait je devrais être honorée de quelque décoration. Il y en a un ou deux, plus âgés, qui ne me sont jamais passés entre les mains. Et il y en a de plus petits que j'aurai un jour… Combien en tout! Est-ce que quelqu'un sait combien en tout il y a de Demetrioff?

À ce moment il se fit un étrange silence, les regards de mes compagnes se portant sur moi avec incrédulité, l'idée en chacune d'elle faisant son chemin que moi j'étais sans Demetrioff.

— Sans Demetrioff!

L'exclamation fusa sur tous les tons, jusqu'à celui d'amertume que je fusse seule épargnée.

À la fin, Léonie résuma sagement la situation :

— Il fallait bien s'attendre à ce que s'arrête la machine un jour ou l'autre.

— Mais juste pour elle, se plaignit Gertrude, me désignant du doigt et n'en revenant pas.

Anna, pour sa part, restait nerveuse, crispée. Ardente jeune institutrice, elle se considérait à blâmer sévèrement si elle n'avait pas réussi à faire faire son année à chacun de ses élèves.

— J'ai tout essayé, nous dit-elle d'un air découragé. Il ne me reste plus qu'à écrire au père, le faire venir…

— Faire venir le père Demetrioff! Ce serait la pire chose… commença à protester Léonie.

Mais la cloche sonna, nous rappelant chacune à la tête de notre classe.

Auraient-elles pu être évitées, les terribles suites de cette idée, si seulement Anna avait eu le loisir d'écouter jusqu'au bout le conseil de Léonie? Ce n'est pas sûr. À ses débuts dans la vie et l'enseignement, Anna croyait encore dur comme fer qu'avec des mots on peut arriver au bout de bien des difficultés. Léonie, plus vieille d'expérience, prétendait que dans bien des cas le mieux était encore de ne pas réveiller le chat qui dort.

Or, réveiller la bête endormie, c'est bien ce qu'avait réussi Anna. Le lendemain, nous ne l'avons pas vue à la récréation. On la disait sous le coup d'un choc nerveux. Toutes sortes de rumeurs couraient dans l'école. La police, appelée par le principal, y serait venue la veille constater les blessures infligées par Demetrioff père à Demetrioff fils. On disait qu'Anna elle-même en voulant s'interposer entre les deux avait reçu un coup de poing à la mâchoire.

Le surlendemain seulement, revenue prendre sa place, encore toute pâle et agitée, elle nous raconta ce qui s'était passé.

Elle avait donc écrit au père Demetrioff pour le prier de passer à l'école au sujet d'Ivan dont elle aimerait l'entretenir, le garçon lui donnant du fil à retordre. Pour être assurée que la lettre parviendrait bien à destination, elle l'avait confiée au Demetrioff de la classe voisine, Igor, lui recommandant de la remettre au père en mains propres et elle pouvait compter que celui-ci le ferait, car les enfants, dressés à la délation, étaient portés à se donner entre eux des coups bas. Connaissant cela, nous nous demandions comment Anna avait pu se résoudre à cette extrémité, et elle nous avoua que, sa lettre partie, et en dépit du fait qu'elle croyait toujours à la vertu des explications les yeux dans les yeux, elle s'était sentie, en effet, prise d'appréhension.

Tôt le lendemain matin, comme elle achevait d'écrire au tableau la leçon de grammaire de la journée, il y avait eu dans son dos un silence si inhabituel qu'elle s'était tournée d'un coup vers sa classe. Ivan, les bras décroisés, regardait par la partie vitrée de la porte le visage qui venait d'y apparaître, le sien exprimant une terreur sans nom.

Il était devenu blême, nous expliqua Anna. Vous savez combien les Demetrioff sont d'un brun foncé à ne plus savoir si c'est leur vraie couleur ou si elle n'est pas le produit du traitement que l'on inflige au cuir et qui à la longue cuit aussi leur visage. Toujours est-il qu'une pâleur de très profond et de loin parvenait à percer ce brun du teint et à se faire jour surtout autour du nez qui se pinçait d'effroi.

Elle en avait été bouleversée à vouloir chasser le visiteur.

Mais comment faire ! Après un bref coup de jointure dans la porte, sans attendre de réponse, il était entré.

Anna nous dit :

— Comment ne pas le reconnaître au premier coup d'œil ! C'est bien le moule d'où sont sortis nos pauvres enfants Demetrioff. Un être tout petit, racorni, les yeux, rien qu'une fente dans le masque sombre du visage, mais si luisants, cruels et perçants qu'on en est subjugué. Et si vous pensez que les enfants sentent la tannerie, vous auriez dû respirer l'odeur du père. Cependant il était propre, vêtu d'un complet tout à fait convenable. Il me semble même qu'il portait une cravate et je ne suis pas sûre qu'il n'avait pas un chapeau à la main. Mais ce dont je suis sûre, c'est que de l'autre il brandissait ma lettre. Il l'étala sur mon pupitre pour me la faire bien voir, tout comme si ce n'était pas moi qui l'avais écrite. Je vis, à sa façon de faire semblant, qu'il ne savait pas lire. Mais il avait dû se faire montrer le passage à retenir, car il plaça un de ses gros doigts croches et tachés sous les quatre mots « *Ivan gives me trouble* ».

— *So !* me demanda-t-il, *Ivan is trouble ?*

J'eus beau chercher à me reprendre, à minimiser les torts d'Ivan, même à les rayer complètement, le petit homme me foudroyait de ses minces yeux furieux, il n'en finissait pas de m'acculer :

— *Did you write, did you not write : Ivan is trouble ?*

Je penchai un peu la tête.

— *A little. Just a little trouble.*

— *So !* cria le bonhomme qui déjà ne m'écoutait plus.

Il s'était tourné vers la classe et appelait Ivan.

— *Come here, you... trouble !*

Ce qui suivit, Anna mit du temps à le remettre ensemble, bribe par bribe, tant la scène s'était déroulée comme sous l'effet de la folie. L'enfant, appelé par son père, était venu, apparemment incapable même de chercher du secours autour de lui. Le père l'avait empoigné par une oreille, l'avait lancé contre le mur d'où il avait rebondi pour revenir vers le père qui l'avait rattrapé pour le renvoyer de nouveau se cogner au mur.

Ivan ne protestait ni ne cherchait à se défendre. Bientôt il saigna du nez et de la bouche. Anna avait essayé d'intervenir. D'un coup de patte, Demetrioff père l'avait envoyée promener. Alors elle avait dépêché un enfant chercher le principal. Même la venue du Frère si remarquable dans sa redingote noire et son plastron immaculé n'en avait le moins du monde imposé à Demetrioff. Vraisemblablement il ne savait même pas à qui il avait affaire dans la distinguée personne du directeur. Il l'écarta d'un revers de la main, comme il avait écarté Anna. Et il continuait, saisissant Ivan par la même oreille, à moitié arrachée, à l'envoyer cogner contre le mur. Alors, calmement, le principal avait commandé à la classe de se lever et de s'interposer en masse entre Ivan et son père. Quand le bonhomme se vit devant tous ces enfants dressés entre lui et son fils, tout d'un coup il perdit pied. Il se dégonfla aussi vite qu'il avait été prompt et sournois à l'attaque.

— Ce fut surprenant, dit Anna. Nous n'avions plus devant nous qu'un petit homme, l'air le plus inoffensif du monde, bas sur pattes, un greluchon noir et triste, le feu de ses durs petits yeux éteint.

Le principal lui mit la main sur l'épaule, et Demetrioff père suivit docilement. C'était son tour de se laisser faire. La police accompagnée d'un médecin vint constater les blessures d'Ivan. L'enfant fut conduit à l'hôpital, et le père, à ce qui nous servait de cachot au sous-sol de l'hôtel de ville. Le magistrat devant lequel il passa en jugement le lendemain était en faveur d'une peine sévère : trois mois de prison. Mais qui pendant ce temps pourvoirait aux besoins de la tribu Demetrioff ? La mère, toujours placide, témoigna à la décharge de son mari. À sa connaissance, il n'avait jamais puni les enfants plus qu'ils ne le méritaient. C'est ce qu'elle prétendit à travers les paroles de l'interprète. Ivan lui-même, ou terrorisé ou insensible, soutint que c'était la première fois que le père l'avait frappé si dur. Ainsi allèrent les choses. Le père rentra dans sa tannerie et se mit à travailler double pour rattraper le temps perdu. Ivan revint en classe, un énorme pansement sur l'oreille. On aurait pu croire, nous dit Anna, que rien ne s'était passé, sauf qu'Ivan avait enfin les bras décroisés.

— Mais pour le reste, nous dit-elle, j'ai comme l'idée qu'il va exercer sa vengeance contre le père en mettant encore plus d'entêtement que jamais à ne rien apprendre.

Le printemps venait. L'allégresse qu'il communiquait aux enfants nous amenait petit à petit à oublier les détails les plus odieux de cette histoire. Puis, un jour de mai, chaleureux et tendre, à la récréation bourdonnante de rires et de cris joyeux, comme nous nous promenions, trois à reculons, trois de front, Gertrude nous lança plutôt gaiement :

— Vous ne savez pas ! Mon Demetrioff est renippé de neuf ce matin. De la tête aux pieds ! Pantalon, souliers, bas et jusqu'à un beau pull-over de laine rouge vif !

— Tiens ! le mien aussi a un beau pull-over rouge vif, dit Denise.

— Et le mien ! fit Solange.

— C'est toujours ainsi, nous renseigna Léonie. Que le père Demetrioff lâche un jour sa tannerie ce n'est jamais pour renipper un seul enfant, mais toute la bande en une fois. Et tout du pareil au même pour que ça aille plus vite ! La mère ne s'en mêle pas. Elle n'a jamais un sou en poche. Le bonhomme surveille les soldes. Quand c'est le temps, il achète à la douzaine, à la quinzaine, au sous-sol, chez Eaton.

— Oui, mais choisir du rouge flamme, vous ne trouvez pas, demanda Gertrude, que cela témoigne d'un certain sentiment ?

Ensemble nous avons porté les yeux sur la troupe d'enfants

voltigeant. Il n'y avait pas de doute que le rouge clair des chandails s'y distinguait à merveille, mettant partout à la fois dans la cour comme des rayons d'un centre lumineux. Il seyait du reste extrêmement bien aux Demetrioff avec leurs perçants yeux noirs, leur frange de cheveux sombres et leur visage cuit. D'ailleurs, comme rehaussés par leurs vêtements neufs, ils se mêlaient davantage aux jeux aujourd'hui, courant et sautant, et on avait l'impression de voir multiplié l'éclat rayonnant des pull-overs ensoleillés.

— N'avez-vous pas lu dans les annonces d'Eaton cette semaine qu'il y avait solde de chandails pour garçons de cinq à dix-huit ans ? nous fit malicieusement remarquer Léonie.

— Vous ne me ferez pas croire, protesta Gertrude, qu'ils étaient tous rouge clair et que dans le lot il n'y en avait pas de brun fade ou de gris terne qui eussent été aussi peu seyants que possible à nos Demetrioff.

II

Vers la fin du mois de mai, en cette même année, j'eus l'idée d'aller un soir me promener du côté de ce que nous appelions la « petite Russie ». Au vrai, il y avait là des Polonais ou des Ukrainiens plutôt que des Russes à proprement parler qui ne furent jamais nombreux dans notre milieu. Ils devaient donc y être plus seuls encore que d'autres immigrants qui se mettaient au moins à quelques-uns pour partager l'exil.

Deux ou trois fois déjà, au cours de belles soirées, j'étais allée errer de ce côté, mais j'avais rebroussé chemin, parce que c'était loin, la petite Russie, et sans doute parce que ma curiosité n'était pas assez forte pour me soutenir jusqu'au bout. Cette fois, je persévérai. À quel moment exactement, je ne le saurais dire, je sentis que j'étais passée en territoire inconnu, que j'avais traversé une frontière. D'abord les maisons avaient cessé de maintenir entre elles une distance à peu près égale et de se présenter de manière à former une rue. Elles s'éparpillaient n'importe où, n'importe comment, à travers champs, de pauvres maisons à la porte si basse que l'on devait avoir à la franchir tête baissée. Insignifiantes, elles étaient cependant flanquées de tant d'appentis, annexes, bicoques, clapiers et remises, que ces misérables installations constituaient chacune une sorte de petit village où l'on eût cherché à se passer des autres, car, misérables comme ils étaient tous, ils parvenaient, je ne sais comment, à avoir l'air de se tourner le dos. Jamais, dans ma propre ville, je ne m'étais sentie si loin aventurée à l'étranger. Bientôt pourtant je fus détrompée. Ici, c'était moi l'étrangère. Des mains bougeaient aux fenêtres et, à l'affût derrière les rideaux, des visages me suivaient d'un long regard étonné, parfois hostile. Que venait faire ici, en ces clos de Pologne ou de Russie, la jeune Canadienne étrangère ?

Je continuai. Un vaste champ à l'abandon me faisait face, bout de ville retourné à la campagne, ou bout de campagne jamais venu en ville, comme on en voit parfois, réfractaires pendant des années à la cité qui les entoure. Toutes les mauvaises herbes de la plaine en étaient, jusqu'au *tumbleweed* qui ressemble si parfaitement à de vieux rouleaux emmêlés de fil de fer. En ce temps de l'année, elles étaient évidemment à l'état de dépouilles, glaives rouillés, hautes herbes mortes, étranges fleurs séchées de l'été précédent. Un vent triste hantait ce champ nu. Il ne paraissait pas d'ici, mais venu avec des gens de loin dont on eût pu penser que, par pitié, il s'efforçait de conserver vivante la pauvre histoire.

De loin, je reconnus l'abominable odeur décrite par Anna. C'était à soulever le cœur. J'apercevais maintenant, près d'une courbe de la rivière, au bout des herbes mortes, la tannerie enserrée par des buissons bas. C'était une branlante baraque en planches sur des pilotis plantés une moitié sur la berge, une moitié dans l'eau de la rivière qui devait la remplir de sa rumeur. Puisant l'eau déjà sale à un bout pour le traitement du cuir, elle la rejetait, un peu plus loin, à peine plus foncée, et tout ce temps la baraque tressautait comme si elle aussi allait partir une bonne fois avec ce flot brunâtre. Sur le seuil d'une cabane à côté se tenait, les bras nus croisés sur la poitrine, un fichu blanc noué sous le menton, une femme d'allure si pareille à celles que l'on voit sur la couverture des éditions populaires de romans russes que j'éprouvai presque le désir d'aller vérifier au toucher si elle n'était pas une image. Toujours impassible, elle m'accorda un bref regard dont j'aurais été en peine de dire s'il était un peu amical ou seulement curieux, puis se retira dans la maison. Je restai seule un long moment sur le seuil de la trépidante baraque, essayant de distinguer l'intérieur peu éclairé. La tannerie ne semblait prendre jour que par une seule autre ouverture, du côté de la rivière, correspondant au seuil où je me tenais. En sorte que la lumière, entrant d'un côté, traversait la baraque d'un mince trait ensoleillé pour ressortir aussitôt, laissant le reste des lieux dans un demi-jour où je distinguais en silhouettes ce qui me parut une nuée d'enfants affairés.

Tout à coup, au milieu de l'allée lumineuse, sa tête noire découpée dans du soleil comme un visage d'icône dans son nimbe doré, surgit un petit garçon, à ma vue à ce point saisi qu'il demeura figé sur place. À ne pouvoir s'y méprendre, même s'il n'eût pas été vêtu d'un pull rouge, c'était un Demetrioff. Les yeux noirs et plissés, les pommettes saillantes, les oreilles décollées, il était le portrait de tous ceux que j'avais pu voir dans la cour de l'école, en plus malingre encore, en plus souffreteux, en plus craintif peut-être. Je jugeai qu'il pouvait avoir cinq ans et demi, six ans peut-être. Il ne parvenait pas à détacher ses yeux de moi ni même à tenter de fuir, tellement mon apparition soudaine sur le pas de la baraque l'avait violemment saisi. Pour ma part, bouleversée par la découverte qu'il y avait donc un autre Demetrioff, que j'en hériterais probablement à la rentrée, j'étais tout aussi incapable de mouvement. Nous nous considérions, l'enfant et moi, dans la stupeur provoquée par certaines rencontres que l'on pourrait croire décidées par le destin.

Or, subitement, au milieu de ce silence profond où nous nous regardions l'un l'autre, un mot en langue russe, d'avertissement sans doute, jailli de quelque part au fond de la baraque, repris ailleurs, répété et répété sur un ton d'urgence, me fit comprendre que j'étais dénoncée. Puis des bras se tendirent hors de l'ombre, happèrent le petit Demetrioff, le tirèrent à l'abri. La dernière image que j'eus de lui fut celle d'un petit visage convulsé d'où ne parvenait même pas à sortir le cri de frayeur que je lui inspirais.

Maintenant, du coin sombre où ils se tenaient ensemble, me parvint le même mot encore qui m'avait si fort secouée, accompagné de quelques autres. Je crus comprendre que les grands Demetrioff, tout en cherchant à apaiser leur petit frère, à l'assurer que pour cette fois le danger était écarté, ne travaillaient pas moins à entretenir chez lui une peur bleue à mon égard. Un mot qui revenait souvent dans leur propos, comme ils me désignaient à l'enfant, je ne sais pourquoi, me sembla des plus déplaisants. J'imaginai qu'ils racontaient au pauvre petit qu'un jour je reviendrais le chercher et que cette fois il n'y aurait pas à échapper à mon long bras. S'ils paraissaient mieux aimer leur plus jeune frère qu'ils ne s'aimaient entre eux, ce n'était pas d'un amour réconfortant.

Je ne savais vraiment plus comment m'en aller, l'hostilité même qui m'était témoignée m'en enlevant les moyens. Je restais plantée sur le seuil cependant que, de tous les coins, par des chuchotements agaçants, on me signifiait, me semblait-il, de partir, que je n'avais rien à faire ici, que le temps d'enlever l'oisillon Demetrioff n'était pas encore venu.

Alors parut à deux pas devant moi, dans la zone éclairée, le père Demetrioff, d'un geste coupant faisant taire net derrière lui l'hostile babillage. Il était en tablier de tanneur, les mains de la couleur d'une rouille tenace, ses moustaches pareillement teintées. Il n'y avait de pâle chez lui qu'un tout petit peu de blanc autour des billes noires des prunelles. Les déplaisantes salutations des enfants avaient dû lui apprendre qui j'étais. Il m'observait en silence de ses petits yeux secs et durs sous les sourcils plantés droit comme des antennes.

Je pris l'initiative d'une sorte de conversation.

Je comptai sur mes doigts en énumérant autant que je pouvais m'en souvenir les prénoms des enfants : Leonid… Sacha… Igor… Dimitri… Youri… Je fis ensuite le geste d'évoquer un enfant plus petit. Je finis par le montrer tel un bébé bercé entre des bras.

Le père Demetrioff comprit où je voulais en venir. Il indiqua le petit noiraud que j'avais vu dans un rayon de soleil et qui s'était quelque peu rapproché, par en arrière, quoique se tenant dans l'ombre, pour entendre ce que nous disions de lui. Il me répondit :

— *Yes, him last Demetrioff.*

Bien fin cependant celui qui aurait pu en déduire si cela était dit avec une sorte de regret, de chagrin ou avec un infini soulagement.

— *Yes, him last,* reprit-il, ébranlé seulement, selon toute apparence, par la vibration du plancher sous la poussée de l'eau.

La conversation paraissait bien devoir cesser là. Dieu sait pourquoi je songeai à prendre congé du père Demetrioff — pareil, sur son seuil, à un arbre mort — selon la manière des orthodoxes que j'avais vus, à la pâque russe, se saluer par une lente et respectueuse inclination de la tête et du buste, les mains jointes devant eux. À ma grande surprise, il me rendit très exactement mon salut, s'inclinant aussi de la taille. En se relevant, comme ses yeux aux petites billes dures et luisantes s'accrochaient aux miens, je crus voir, bien fugitive, une expression un peu moins lointaine, peut-être même de curiosité envers moi.

M'en revenant vers ce que nous appelions « notre » ville, « notre » vie, et dont il me sembla avoir été éloignée depuis des années, je n'arrivais pas à détacher mon souvenir de l'image du petit Demetrioff tel qu'il m'était apparu découpé dans un rayon de soleil. Je me disais à voix haute comme pour vaincre ce sentiment de rêve qui m'accompagnait :

— Ainsi, tu auras toi aussi ton Demetrioff !

Et je ne savais si je devais me plaindre ou me réjouir d'avoir aussi un rôle à jouer dans cette sombre affaire qui depuis des années opposait l'école et les Demetrioff.

III

Mon petit Demetrioff n'était ni plus ni moins éveillé que ses frères. Il attrapait bien çà et là des bribes de leçons qu'il semblait cependant presque toujours avoir oubliées le lendemain. « C'est normal pour un Demetrioff, essayait de me faire entendre Léonie en manière d'encouragement. Un Demetrioff perd aujourd'hui ce qu'il a appris la veille. Cependant il lui en revient quelquefois des choses comme en rêve. Ne te désespère pas : tout n'est pas toujours perdu avec eux. »

Il n'empêche que j'avais déjà peu d'espoir de voir mon Demetrioff faire son année d'un seul coup. J'étais amèrement désolée de devoir passer par où les autres étaient passées.

Qui donc, alors, aurait seulement pu prévoir chez cet enfant engourdi un don si rare qu'il n'eut pas son équivalent dans toute l'histoire de notre école !

Ce jour-là j'avais envoyé une quinzaine d'élèves s'exercer à écrire entre des lignes tracées d'avance la lettre *m* proposée en modèle. Je commençais par cette lettre qui plaisait particulièrement aux enfants, peut-être parce que je la présentais comme trois petites montagnes reliées qui marchaient ensemble par-delà l'horizon ; ou encore parce que c'était la première lettre du « meu-meu-meu de la vache qui donne du bon lait ».

Les enfants au travail, je faisais ma ronde, ayant à corriger presque partout. C'est étonnant ce qu'il y avait d'enfants qui écrivaient *m* à l'envers, en une série de *u*. Chez d'autres c'était un signe illisible. J'arrivai à mon petit Demetrioff. Craie en main, enfin il semblait heureux à l'école. Tout au moins aussi bien à sa place que n'importe qui. J'examinai ses lettres. Elles étaient parfaites, d'égale hauteur, d'égales proportions, avec un petit envol qui leur donnait l'air de rouler en effet vers le bout du monde par-delà le tableau noir. Je n'en revenais pas. Et la preuve qu'il avait une main extraordinaire, c'est que là où les lignes tracées pour contenir les lettres cessaient, lui avait continué, comme si de rien n'était, une rangée encore tout aussi droite et bien balancée. D'ailleurs, il était si emporté, je suppose, par le plaisir de ce genre de travail, que, sa part de tableau remplie, il poursuivait chez son voisin qui le laissait faire, heureux sans doute de voir accomplie pour lui cette fastidieuse besogne.

Je félicitai mon petit Demetrioff en lui plaçant doucement la main sur l'épaule — le seul geste d'encouragement que j'osais tant il était encore craintif et prêt à interpréter tout mouvement un peu brusque comme l'annonce d'un coup qui allait lui être porté. Il leva vers moi un regard hésitant entre la peur et une très faible lueur d'espoir qui grandit un peu dès qu'il comprit que j'étais contente de lui. Puis, voyant qu'il n'y avait mieux pour me faire plaisir, il reprit sa craie et continua la ronde de lettres comme s'il n'avait jamais fait que cela toute sa vie. Les autres enfants lui laissaient le champ libre, puisqu'il était parti pour couvrir tout le tableau, eux-mêmes éblouis du reste par tant de virtuosité.

Je repris la craie à Demetrioff et lui proposai en modèle le *M* majuscule. C'était un curieux enfant. Quand il avait compris, il ne souriait pas comme presque tout enfant dans sa joie de saisir une notion abstraite. Simplement passaient à un degré un peu plus élevé de lumière sombre les petites billes noires de ses yeux. Il s'étira sur la pointe des pieds, me reprit la craie et traça la majuscule aussi bien sinon mieux que moi. On va bien voir, pensai-je. Je lui repris la craie et fis une lettre particulièrement savante avec des boucles et des « fleurages » de tous côtés. Je n'avais pas fini qu'il se haussa pour me prendre la craie. Se mordant la lèvre dans son application, tremblant sous la tension de l'effort, il exécuta la lettre, puis me tendit aussitôt la craie dans la vivacité muette d'un petit chien qui rapporte le bâton à son maître avec l'air de demander : « Envoie-le encore un peu plus loin. »

Je déchantai un peu quand je m'aperçus que Demetrioff dernier n'avait aucune idée de ce qu'était cette lettre qu'il formait si bien, en minuscule et majuscule.

Je dénichai l'image d'une vache meuglant. Je fis meu-meu-meu. Le reste de la classe, exaspéré de voir s'éterniser cette plate leçon, se fit des cornes, les mains appliquées aux tempes. Tous meuglaient à qui mieux mieux. Le pauvre enfant décontenancé voyait bien qu'il était question d'une vache, mais que venait-elle faire à l'école, et surtout quel lien pouvait-il y avoir entre cet animal et la gracieuse lettre qu'il avait appris à tracer si parfaitement ? Enfin, de loin, une sorte de compréhension frappa son esprit. Une lueur traversa son regard opaque. Il marqua un peu de contentement. Rien d'énorme. Sa passion à lui ce n'était apparemment pas de connaître les lettres, seulement de les copier. Alors je crus apercevoir le moyen par lequel je le tiendrais pour le contraindre à les apprendre.

Tant qu'il n'aurait pas reconnu et prononcé à voix haute la lettre initiale des mots proposés, *p* par exemple, et n'aurait pas retenu ceux-ci par cœur, il ne lui serait pas accordé la permission d'écrire au tableau.

Le pauvre petit suait, je voyais ses cheveux se tremper au bord des tempes, il cherchait désespérément dans les yeux des autres enfants comment ils faisaient, eux, pour comprendre, et, quand il y parvenait, je pense que c'était par une sorte de mimétisme ou de curieux pouvoir d'osmose, le savoir des autres le gagnant à travers une communion de connaissance. Alors, ayant enfin gagné d'aller au tableau, qui semblait être tout le but de sa vie, pour ne pas oublier la leçon si chèrement apprise, il se la répétait sans trêve, on l'entendait souffler peuh-peuh-peuh, cependant que sous sa petite main naissaient les lettres comme dansantes et délivrées.

Il y avait des jours où pour le récompenser je le laissais écrire tout son saoul. Un après-midi que je l'avais pour ainsi dire oublié, il passa plus d'une heure au tableau. Quand j'allai voir à quoi il s'était occupé tout ce temps-là, je faillis en choir d'étonnement. Il avait écrit l'alphabet tout entier, majuscules et minuscules, sans nulle part en inverser l'ordre. Mais où avait-il donc appris à devancer jusqu'à mes leçons ? Est-ce que ses frères, fiers de son don, ne lui avaient pas fait prendre quelque avance à la maison ? Ou était-il possible qu'il eût de lui-même retenu, à la suite, toutes ces lettres ?

Je le considérai en silence. Son exploit accompli, qui s'étendait sur toute la longueur du tableau, il était exténué, cependant illuminé encore du dedans, et souriait vaguement à travers une grande fatigue. Mais quelle était donc à la fin cette passion qui le dominait ? Avec ses étranges yeux dont le feu noir était tourné vers l'intérieur, son visage accaparé plutôt que transfiguré, il me rappela ces pauvres petits saints anonymes des iconostases qui adorent de loin le Créateur sans même songer à Lui demander de lever les yeux sur eux.

Et je remarquai enfin qu'il avait presque une attitude de priant quand, après avoir écrit ses lettres, il s'accordait pendant un moment de les contempler. Quelle histoire écrivait-il donc, sans avoir besoin pour la connaître de pouvoir la lire ?

Peu à peu me venait à l'esprit l'idée qu'il n'était pas commandé seulement de lui-même dans son acharnement à écrire. Mais peut-être par une faim lointaine. Une mystérieuse et longue attente. Il me venait la singulière impression que ce pauvre petit enfant était poussé à écrire par des générations loin en arrière qui le pressaient impitoyablement.

Il commençait à comprendre quelques mots en dehors du russe. La journée des parents approchait. Nous les invitions à assister à nos cours, à passer une partie de la journée en classe, histoire de se rendre compte de ce que c'était que d'avoir à instruire leurs enfants. Je dis à mon Demetrioff que ce serait heureux si son père pouvait venir ce jour-là constater par lui-même combien son petit garçon écrivait bien.

dans son style à lui qui avait quelque chose de classique. Alors le père se tourna vers la classe ; il nous dévisagea de ses petits yeux luisants comme pour nous prendre à témoin que, sans l'ombre d'un doute, Demetrioff le dernier savait écrire. Pas plus qu'à l'enfant, il ne lui importait peut-être de connaître les lettres. Le talent de les tracer était déjà bien assez merveilleux.

Gauchement, il prit l'épaule du petit garçon. Il la pétrit un moment à sa rude manière, tout en cherchant, sans trop le brusquer, à tirer vers son bras la tête de l'enfant. Le petit résistait, seulement à moitié déraidi. À la fin, il laissa aller sa menue face craintive contre la manche du père. Il leva vers lui ses yeux apeurés. Alors, de haut en bas, de bas en haut, passa un sourire si bref, si maladroit, si tâtonnant, que ce parut être le premier à passer entre ces deux visages.

La maison gardée

I

L'école où je fus nommée, cette année-là, faisait partie, si l'on veut, du village, quoique attardée tout au bout, séparée même des dernières maisons par un champ assez vaste où paissait une vache. Malgré l'écart, il n'y avait pourtant pas de doute que j'appartenais au village triste avec ses pauvres maisons, la plupart en bois non peint, décrépites avant d'être finies, avec sa petite chapelle que l'on avait construite dans un esprit d'antagonisme contre le village voisin et sa trop riche église, mais par antagonisme également le curé de la riche paroisse n'avait jamais consenti à y mettre les pieds, en sorte que la chapelle croulait peu à peu dans l'oubli.

Je voyais aussi, des fenêtres de l'école, la gare ennuyeuse comme on les faisait dans ce temps-là, les silos à blé, la citerne à eau, une *caboose* posée sur le sol depuis des années, le tout peint de cette affreuse couleur sang de bœuf sans vie ni éclat, mais justement parce que sans vie elle devait être durable, donc économique. Je voyais évidemment ce qui prédominait, cette grand-rue trop large, sans arbres, presque toujours livrée au vent seulement, cette morne grand-rue de terre, plaintive et poudreuse comme celle de presque tous les villages de l'Ouest canadien dans cette première année de la Grande Dépression. C'était un village de fermiers retirés avec tout juste de quoi vivre, déçus ou acrimonieux, de vieilles gens casaniers, de petits commerces vivotant misérablement. Il n'y avait à puiser là ni courage, ni confiance, ni espoir en demain. Mais que je me tourne de l'autre côté et tout changeait : à pleins flots l'espoir me revenait ; il me semblait faire face à l'avenir, et cet avenir brillait de la lumière la plus attirante qu'il m'a jamais été accordé de surprendre dans ma vie.

Au fond il n'y avait pourtant par là rien à voir. Ni toit de maison, ni grange, ni même de ces minuscules greniers à blé comme il y en eut partout dans la plaine au temps des trop abondantes récoltes qui ne s'écoulaient pas. Seulement un bout de route de terre qui s'élevait légèrement tout en tournant un peu sur lui-même et aussitôt se perdait dans l'infini. Rien donc que le ciel, un épaulement de riche terre noire contre ce bleu vif de l'horizon et, parfois, des nuages gréés comme d'anciens navires à voile. Pourquoi dans un pays si jeune l'espoir nous vient-il des espaces déserts et du merveilleux silence !

Il est vrai, plus de la moitié de mes élèves venait de ce côté sauvage et comme inhabité. Tant qu'il ne fit pas trop froid, jusque vers la mi-octobre, même un peu plus tard, ils vinrent tous à pied, sauf par un ou deux matins de fortes pluies.

Dès la première semaine, j'avais pris l'habitude de guetter leur venue de mon pupitre orienté du côté de la plaine. J'arrivais très tôt pour préparer à l'avance mes leçons ; il le fallait, j'avais quarante élèves répartis en huit divisions, depuis la première jusqu'à la huitième année. C'était le gros ennui de ces écoles de campagne, de contenir tant de divisions, mais aussi leur incroyable valeur, car, avec des enfants de tout âge, elles constituaient une sorte de famille, un monde en soi, on dirait aujourd'hui une commune.

Souvent j'étais prête longtemps avant l'heure, le tableau couvert de modèles et de problèmes à résoudre. Alors je m'asseyais et la hâte me prenait de voir arriver mes élèves. Je ne quittais pas des yeux la petite montée solitaire de la route où je les verrais apparaître un par un ou en groupes qui dessineraient une frise légère au bas du ciel. Chaque fois j'en étais émue. Je voyais poindre ces minuscules silhouettes dans l'ampleur de la plaine vide et je ressentais profondément la vulnérabilité, la fragilité de l'enfance en ce monde, et que c'est pourtant sur ces frêles épaules que nous faisons porter le poids de nos espoirs déçus et de nos éternels recommencements.

Je pense que j'étais bouleversée aussi par le fait que de tous les coins ils fussent en route vers moi, somme toute une étrangère pour eux. Encore aujourd'hui m'émeut ce sentiment que l'on confie à quelqu'un que l'on ne connaît même pas, à une petite institutrice sans expérience, fraîchement sortie de l'École normale comme c'était mon cas, ce qu'il y a sur la terre de plus neuf, de plus délicat, de plus facile aussi à briser.

Bientôt, même à cette distance, je reconnaissais les enfants : les petits Badiou à ce qu'ils se tenaient par la main, et non seulement dans la montée, mais, comme je le sus plus tard, tout le long du chemin depuis leur ferme à presque deux milles, parce que leur mère inquiète les avait confiés, le petit garçon de cinq ans et demi à sa sœur de six ans et demi, et celle-ci à son petit frère, et sans doute en se tenant tout le temps par la main avaient-ils le sentiment d'être l'un pour l'autre une protection ; les Cellini en un groupe compact, cinq ensemble, seul Yvan le terrible, Yvan le rebelle, traînant la patte et à qui Adèle, l'aînée, en se retournant adressait des signes de se hâter ; mes petits Auvergnats qui faisaient bande à part, jamais mêlés aux Italiens, encore moins aux Bretons, faciles à distinguer à leur démarche « piochante » ; les deux petits Morrissot que, beau temps, mauvais temps, en retard ou longtemps à l'avance, je vis toujours arriver à la course comme des fous ; les Lachapelle, déployant un escalier contre l'horizon, le plus grand en tête, le plus petit à la fin, qui marchaient d'un pas invariable et maintenaient entre eux une distance égale ; enfin, presque toujours seule, souvent la dernière, souvent aussi en retard, une petite silhouette se hâtant, les épaules en avant, le cartable au dos et comme accablée.

Ah ! celui-là, c'est encore le cœur serré que je l'évoque !

Il s'appelait André. André Pasquier. Et il n'était pas mauvais élève, loin de là, ni non plus dépourvu. Mais, comment dire, tout en étant un enfant appliqué, un enfant de bonne volonté à qui il était difficile de reprocher quoi que ce soit de précis, il était toujours ailleurs. Préoccupé, on aurait dit. Et même tracassé par des soucis de la maison sans doute qui le suivaient à l'école et que son esprit ne parvenait pas à écarter. Et puis il était déjà tout fatigué dès son arrivée en classe. Comment aurait-il pu y fournir l'effort que j'espérais de lui ! Je me doutais bien qu'aussi il travaillait trop chez lui.

Un jour que je le voyais peiner sans parvenir à le résoudre sur un problème que les autres de sa classe avaient pourtant réussi en peu de temps, je m'attardai à sa place.

— Qu'est-ce qu'il y a donc André ? Tu es fatigué ?

— Oui, un peu, dit-il, et ses yeux eurent l'expression égarée que l'on voit à certains hommes brisés d'épuisement physique.

— Tu travailles beaucoup chez vous ?

— Pas tant que ça ! Un peu, il faut bien. Je suis l'aîné. C'est mon rôle de seconder le père.

— Tu viens à pied... de loin ?

— Ça fait deux milles et demi.

Doux ciel ! Et dire que je l'avais réprimandé la veille encore pour être arrivé en retard.

— Ça te fait une fameuse trotte, lui dis-je.

— Ah, ça, la trotte, c'est rien, fit-il tout en parvenant à me sourire. Au grand air, ça ne fait que du bien.

Je l'aidai à résoudre son problème — le petit problème de l'instant — et m'en retournai songeuse à mon pupitre. Dès lors, la pensée de cet enfant ne me quitta pour ainsi dire pas. Dans sa vie que je devinais difficile à l'excès j'étais déterminée à apporter au moins la possibilité d'en sortir par l'instruction. Je voulais à tout prix qu'il réussisse en classe. Mais comment m'y prendre ? Le garder après les heures pour revoir ses leçons avec lui ? J'ajouterais ainsi à la longueur de ses journées. Lui accorder une attention spéciale durant les heures de classe ? Il était ombrageux et fier. S'il s'en apercevait il pourrait se retirer encore plus profondément en lui-même. C'était pourtant le seul moyen que j'avais de l'aider et je finis par y venir, mais le plus discrètement possible. Cela marcha. J'eus le bonheur, au bout d'une semaine, de le voir terminer ses devoirs presque en même temps que les autres.

Je le félicitai et c'est à peine si je reconnus alors dans l'enfant étonné de lui-même, ébloui, le pauvre petit qui arrivait à l'école parfois si fatigué que j'aurais pu le croire pris de boisson.

— Tu vois, quand tu veux, André !

Et je tendis la main pour lui caresser la joue, le front, que sais-je ! Lui ne se recula pas, en faisant l'homme, comme les autres fois où j'avais tenté ce geste, mais se laissa remonter une mèche tombée sur sa tempe.

Il me sembla qu'à partir de ce jour, s'il arrivait encore en retard, encore accablé, parfois même encore triste, peu à peu, au cours de la journée, sur des préoccupations trop graves pour son âge, son âme d'enfant, légère et tendre, prenait le pas, remontait en surface, s'étonnait de jouir d'un moment d'insouciance comme il est normal à dix ans.

Un jour, pour la première fois, je l'entendis rire avec les autres à je ne me rappelle plus quel propos. J'en restai saisie. J'allai à son pupitre et examinai son cahier. Il était incontestable qu'il avait fait beaucoup de progrès.

Je lui demandai :

— Tes parents tiennent à ce que tu t'instruises ?

— Ah oui ! Mon père dit souvent qu'il ne veut pas que je sois comme lui, sans instruction, sans métier, sans rien du tout.

Je voulus absolument chasser le sérieux et l'angoisse qui étaient revenus dans ses yeux dès qu'il avait été question de la maison, et je dis aux autres de sa classe, moitié en riant, moitié sérieuse :

— Vous faites peut-être mieux de vous méfier d'André. Il part lentement comme la tortue, mais qui sait s'il n'arrivera pas avant vous autres, lièvres et lapins.

André me jeta un regard hésitant où il y avait comme un reproche d'homme : « Il ne faudrait tout de même pas exagérer… » mais aussi un éclair de la folle croyance en l'impossible chez tout enfant.

Qu'est-ce qui m'avait prise de me mettre et de chercher à lui mettre en tête un espoir aussi insensé ? De nous deux, ce devait être moi la plus enfant.

À quatre heures, les jours de classe, malgré la vitalité de la jeunesse, j'étais si épuisée, si vidée, que je restais un long moment oisive à mon pupitre, sans courage pour m'attaquer à la pile de cahiers devant moi.

Si je levais les yeux vers la petite montée solitaire, je voyais se dérouler sur l'écran de l'horizon, mais en sens inverse, le court film du matin. Maintenant c'était André qui prenait la tête, les épaules en avant, se hâtant avec la démarche d'un homme qui retourne à des devoirs pressants. Puis venaient les Lachapelle, non plus en file, mais, comme c'était curieux ! les plus grands, le soir, donnant la main aux plus jeunes. Seuls les enfants Badiou ne variaient pas dans leur attitude, matin et soir, semaine après semaine, se tenant par la main et balançant leurs deux bras réunis d'un mouvement gracieux et inlassable. Tout mon petit monde gravissait à son pas, à sa manière, la légère montée, chacun se fixait nettement pendant un instant sur le ciel souvent en feu à l'heure du couchant, puis disparaissait, avalé subitement par le côté sombre de la butte. J'étais émue autant que le matin, mais d'une autre manière. À présent c'était mon tour de perdre les enfants. Un moment, je les voyais comme tout nimbés de lumière, au sommet de la route, puis l'inconnu me les dérobait. Alors je me prenais à essayer d'imaginer leur vie dans ces fermes lointaines dont je ne connaissais rien. Je me doutais bien qu'une distance infinie séparait la vie de là-bas de la nôtre à l'école, mais j'étais encore loin en dessous de la réalité — entre ces deux vies existait une frontière pour ainsi dire infranchissable. Pourtant je rêvais de mettre le pied dans ces fermes isolées, de me faire accepter peut-être par ces maisonnées de silence et parfois d'hostilité. Et puis l'occasion m'en fut offerte miraculeusement par la petite Badiou à qui sa mère avait fait la leçon et qui s'en vint un jour d'une traite me la réciter à mon pupitre mot pour mot dans un tendre pépiement aigu de moineau :

— Ma maman, mamzelle, elle fait dire comme ceci que ça lui ferait le plus vif plaisir si vous nous faisiez l'honneur de venir souper chez nous un de ces soirs à votre convenance.

Pour ne rien oublier de la solennelle invitation, la petite Lucienne me l'avait débitée sans pause nulle part et même les yeux fermés.

Je dis, toute contente :

— Mais oui, Lucienne. J'irai chez vous avec joie. Et même pourquoi pas ce soir ? Il fait si beau aujourd'hui.

En effet, après une ou deux nuits de gel blanc, on était entré dans l'été des Sauvages. Il faisait chaud comme au plus beau de l'été ; mais chacun sait que ces douces journées radieuses d'octobre sont dons exceptionnels, prompts à être retirés. J'avais envie d'en profiter.

La petite hésitait, prise entre un grand contentement et un certain dépit.

— C'est que maman elle n'aura pas le temps de faire le ménage, de ramasser au moins le plus gros, ni même de faire son gâteau.

Et elle appuyait chaque phrase désolée d'un geste de commère à commère, des deux mains se battant les flancs.

— Elle aimera pas ne pas avoir au moins son gâteau de prêt.

— Qu'est-ce que ça peut faire ! Ce n'est pas le gâteau, c'est d'être ensemble qui compte.

II

À quatre heures, un bon nombre d'enfants m'attendaient sur le perron, par politesse, étant donné que j'irais de leur côté. Nous partîmes de compagnie, mais un groupe à l'intérieur de l'autre, si je peux dire, car, dès le départ, les petits Badiou avaient pris grand soin de marquer que pour ce soir-ci je leur appartenais, venant se placer, Lucien à ma gauche, Lucienne à ma droite, pour s'emparer de mes mains qu'ils se prirent à balancer à toute allure, comme ils le faisaient entre eux, si bien que j'en eus les bras rompus en un rien de temps et les suppliai de me les laisser libres. Me les rendant, ils se découvrirent sans doute eux-mêmes momentanément libérés l'un de l'autre, car ils coururent, Lucien fouiller de l'œil et du bout d'un bâton un trou de *gopher,* Lucienne ramasser dans sa jupe deux ou trois champignons, puis vinrent reprendre leur place à mes côtés, menaçants envers ceux qui tentaient de la leur prendre. Ils finirent par relâcher leur surveillance lorsqu'ils comprirent que je ne pouvais vraiment pas leur échapper. Mes petits Auvergnats tenaces gagnèrent pourtant du terrain. Bientôt nous formions un groupe, sinon ami, du moins à peu près uni. Seul André allait en avant, sans se dissocier du groupe toutefois, car, quand il s'apercevait qu'il nous distançait d'assez loin, il ralentissait le pas, il s'efforçait même de nous attendre, mais bientôt, comme malgré lui, il repartait à l'allure de qui n'a jamais appris à marcher lentement.

Nous sommes arrivés à la petite montée. Nous nous sommes arrêtés. Avons regardé en arrière. Je me suis vue, à ma place, à mon pupitre, me regardant aller au sommet de la route avec les enfants que j'y avais tant de fois vus seuls et je fus contente de l'image que me projetait mon imagination. D'ici, l'école paraissait plus importante que je ne l'avais pensé, en hauteur, avec son étage naguère occupé par une deuxième classe au temps d'élèves plus nombreux, et sa peinture usée qui, à distance, faiblement blanche encore, faisait tout de même de l'effet dans l'ensemble terne. Le gracieux clocheton la surmontant lui conférait même un certain raffinement. Il me devint enfin évident que, tout pauvre qu'était le village, il avait misé sur l'école comme sur son bien essentiel.

Puis je me suis retournée et j'ai vu la plaine, cette espèce de gouffre sans limite où plongeaient mes petits chaque soir. Le spectacle ne me souleva pas de joie comme il le faisait quand je le contemplais du village. Les déserts, la mer, la vaste plaine, l'éternité attirent peut-être surtout vus des rivages.

Je suis devenue silencieuse. Les enfants, de me découvrir autre que celle que j'étais habituellement à leurs yeux, étaient déconcertés. Ils me jetaient des regards interrogateurs, pointus, comme s'ils se demandaient : « C'est-y encore elle au moins ? »

Cette gravité me passa. Elle me venait peut-être du pressentiment d'une tristesse cachée au loin dans l'avenir comme cela m'est arrivé maintes fois dans ma vie. Je revins aux enfants, et eux, dès qu'ils me surent de retour, revinrent à moi, gais, confiants, bavards, de vraies petites pies. En dix minutes ils m'en apprirent autant que je leur en avais enseigné pendant des jours.

La vache chez Toutant avait vêlé. On avait eu bien de la misère avec elle, le veau venant par les pattes. Jos Labossière avait mené sa truie au verrat. Donc elle aurait des cochonnets dans quelques mois. Mme Toutant par ailleurs avait perdu son bébé. Trois mois après être partie pour la famille.

« Et savez-vous combien c'est gros, mamzelle, un bébé né six mois avant son temps ? Pas gros ! »

Lucienne me tira alors par la manche et me confia :

— Chez nous, maman a eu son bébé il y a trois mois, un vrai, et il est gros et beau.

Je vis que je n'avais en tout cas rien à leur apprendre sur la naissance, humaine ou animale n'importe, l'une et l'autre leur paraissant presque d'égale importance.

Nous arrivions enfin à une maison. Ici allaient nous quitter les Lachapelle. Une femme à la forte poitrine, aux épais bras nus, dans une robe de cotonnade fleurie, ouvrit la porte, me cria de son seuil :

— Vous partez pour aller ioù comme ça ?

— Chez les Badiou.

— On sait ben ! On fréquente les Français plutôt que son propre monde.

— Mais, madame !

— Je disais ça pour parler. Vous arrêterez-vous au moins par chez nous quand vous repasserez ?

— Certainement, madame.

— C'est ben correct. Arrivez les enfants. Ôtez votre neuf, mettez votre vieux.

À l'instant, les cinq Lachapelle qui, à l'école, se montraient assez affectueux envers moi, devinrent comme des petits étrangers qui ne m'avaient jamais ni vue ni connue. Si je n'avais déjà appris à quelle folie peut pousser la gêne chez certains enfants, j'aurais été dans l'ahurissement. Je dis simplement aux cinq visages de bois qui regardaient, au-delà de moi, un piquet de clôture :

— Au revoir, mes enfants. À demain !

Un peu plus loin, à la jonction de la route et d'un petit chemin de section, nous avons perdu les enfants auvergnats dont la maison de ferme était à un quart de mille environ, seule dans des champs immenses.

Les petites filles, avant de nous quitter, commencèrent à se plaindre :

— Maman va pas être bien contente quand elle va savoir que vous commencez votre tournée par chez les Badiou.

— D'abord ce n'est pas une tournée. Ensuite, si votre mère désire ma visite, dites-lui bien que je viendrai avec plaisir.

Notre groupe continua, plutôt mince à présent. Nous parlions moins, allions plus lentement, peut-être parce qu'un peu fatigués, mais, pour ma part du moins, afin de mieux admirer le paysage. Sous la lumière du soleil prête à s'éteindre, il était d'une couleur uniformément claire, assoupi et d'une tranquillité qui effrayait peut-être encore un peu l'âme par son infinie profondeur. Les récoltes presque toutes avaient été engrangées ; ce qui restait pour couvrir le sol c'étaient les chaumes déjà dorés de nature, et que l'éclairage doux de cette fin de jour blondissait davantage. Seuls, de loin en loin, quelques arbres roussis par l'automne éclataient de couleur ardente. Tout le reste était douceur, paix, ou plutôt cette harmonie, parfois, dans la nature, qui ne dit pas son secret. Nous traversions un long bout de plaine sans habitation et n'entendions plus ni chant de coq ni aboiement ni même les oiseaux libres de ces lieux. André cheminait maintenant de concert avec nous, enfin apaisé. Il ne se joignait pas à la conversation, mais, la tête un peu penchée, semblait écouter quand elle renaissait pour un bref moment, après un silence. Nous échangions ainsi quelques phrases, toutes maintenant au sujet des récoltes qui avaient été bonnes ici, plutôt mauvaises là-bas, puis retombions dans une vague rêverie peut-être due en partie à la marche au grand air et peut-être aussi à l'influence magique que ne manque presque jamais d'exercer la fin du jour sur la plaine.

Bientôt comme la route remontait d'un faible creux, d'assez loin encore une maison devint visible, entourée de piquets tous coiffés de seaux à lait. Les petits Morrissot se mirent à crier, en joie :

— C'est chez nous ! C'est chez nous !

À notre approche sortit leur mère qui s'en vint me saluer à la barrière d'un monologue à bâtons rompus sans nulle part reprendre haleine. Il était question tout à la fois de moi, des enfants, des récoltes, de l'école, d'un voyage à la ville qu'elle devrait faire sous peu, de la vie dure, de ces beaux jours actuels, mais de l'hiver qui approchait et Dieu sait comment on allait le passer... Enfin elle saisit ses deux enfants par la main et tous trois entrèrent en courant dans la maison.

À peine un peu plus loin, Lucienne qui me tirait toujours par la manche quand elle avait quelque confidence à me faire, donna un fort coup et dit :

— Avec elle il n'y a jamais moyen de placer un mot. Maman dit qu'il ne se fait pas de femme plus bavarde que Mme Morrissot.

— C'est peut-être qu'elle s'ennuie si seule au bout du monde.

Lucienne prit un air offensé parce que je n'avais pas l'air de partager complètement ses idées et continua sur un ton pointu :

— On est encore plus seuls nous autres.

Je crus voir passer une ombre de sourire sur le visage d'André, mais il ne dit rien.

À quatre seulement maintenant, nous poursuivions notre chemin et, la maison des Morrissot vite cachée par un des rares petits bois qu'il y avait par ici, nous étions de nouveau engagés dans ce qui paraissait le visage caché du monde.

— Le soleil est mort ! s'écria tout à coup plaintivement le petit Lucien qui en avait guetté la chute derrière l'horizon avec appréhension et vint se serrer contre moi en tremblant de tristesse.

J'imaginai alors ce que devaient ressentir ces tout petits enfants quand ils traversaient seuls le léger bois — qui à leurs yeux était peut-être une forêt — à l'heure où mourait le soleil.

Pour moi cependant cette heure hésitante entre la nuit et le jour m'a toujours ensorcelée. Elle m'appelait, elle m'appelle encore comme un rêve où vont se dénouer nos tourments. J'ai déjà marché deux heures d'affilée, sans m'en apercevoir, en route sous le ciel obscur vers un dernier rougeoiement de l'horizon, comme si j'allais y trouver la réponse à ce qui nous hante depuis la naissance. Et ce soir-là, enivrée peut-être encore plus que maintenant, car si jeune et portée au rêve, j'allais à travers l'heure douce, tenant par la main, pour les rassurer, Lucien et Lucienne, précédés de peu par André, et il me semblait que nous montions infailliblement, les trois enfants et moi, vers le bonheur, invisible encore, mais, à coup sûr, promis, sain et sauf à nous attendre non loin. Remontant une légère dépression, nous fûmes atteints par une dernière flèche de lumière lancée bas à partir de l'horizon. André en fut frappé en plein visage, et je découvris avec étonnement la couleur étrange et magnifique de ses yeux : une feuillée de printemps traversée de soleil.

Le silence nous enveloppait toujours, non pas oppressant comme lorsqu'il dit l'absence de vie, mais tout gonflé d'une révélation heureuse qui est sur le point d'être faite. Et alors dans les chaumes dorés éclata au loin un sonore chant glougloutant. J'arrêtai d'un geste les petits, posai l'autre main, je ne sais pourquoi, sur l'épaule d'André et dis :

— Écoutez ! Prenons le temps d'écouter l'alouette des prés.

Lucien et Lucienne firent mine d'écouter en cherchant de l'œil en tous sens, mais André écouta du dedans, la tête un peu penchée, sans se préoccuper de déterminer de quel point venait une si juste expression de joie que nul ne l'a peut-être mieux chantée que cet oiseau à l'air pourtant un peu solitaire, lorsque enfin on l'aperçoit, sur quelque pierre, au milieu d'un champ dépouillé.

Quand ce fut fini, André ramena simplement vers moi ses yeux qui me firent part d'un ravissement égal au mien.

Après, la route fut plane longtemps. Le bleu du soir se fonçait à peu près également un peu partout et brouillait la vue par son uniformité jusqu'à ne rien laisser apparaître de précis. Les petits Badiou se mirent à pointer quelque part dans ce grand vide.

— C'est chez nous ! On arrive chez nous !

À la longue, je distinguai une pauvre case sans couleur, sans perron, juste un dé à jouer tombé là comme par hasard.

Les enfants Badiou me tiraient maintenant de toute leur force et se prirent à annoncer à hauts cris qui portaient dans le silence infini :

— Maman ! Maman ! On amène notre mamzelle !

Sur le ton, me sembla-t-il, qu'ils eussent pu annoncer : « On l'a capturée ! »

Alors sortit de la maisonnette, seule au bout d'un faible tracé de route, une petite femme ronde, agile, agitée, vive comme un furet qui, en me reconnaissant, se prit à se battre les flancs des deux mains et s'écria dans le même souffle « que j'étais donc fine d'être venue… » puis, tout atterrée : « Mon ménage qui est pas faite ! Ma cuisine qui est pas nette ! »

Je compris un peu tard qu'il est bienséant de laisser aux gens loisir de faire des frais pour vous recevoir. Finalement il me parut que l'exubérance joyeuse de cette petite femme l'emportait sur sa honte d'être surprise en « guenilles » et la maison « tout à l'envers ».

Sur le point d'y entrer, je regardai du côté de la route. André s'éloignait déjà. Il me parut effroyablement seul dans cette fin de jour presque sombre maintenant. Ses épaules s'étaient de nouveau affaissées.

— Hé, André ! criai-je.

Il se retourna.

— C'est loin encore pour toi ?

Il pointa en direction d'une sorte de combe d'où émergeaient les têtes noires d'assez grands arbres entre lesquelles je devinai un toit de maison qui semblait sans vie. Tout de ce côté paraissait plus obscur qu'ailleurs sur la plaine. On eût dit que la nuit venait de par là.

— C'est un bon bout encore ?

— Un demi-mille, dit-il. C'est pour ça qu'il faut que je me dépêche maintenant.

Il resta pourtant planté là un moment, ne disant mot, l'air gauche, comme s'il regrettait de n'avoir pas le droit comme les autres enfants de me dire : « Vous viendrez aussi chez nous un de ces jours... »

Il esquissa simplement des bras un curieux geste de désolation.

— Allons, bonsoir André. À demain !

— Bonsoir, mamzelle !

J'étais loin de penser en le voyant s'éloigner, presque au pas de course, que j'allais par la suite si peu le revoir.

Moins de deux semaines après cette promenade sous le ravissant ciel de l'été des Sauvages survinrent des pluies glacées, des vents pénétrants et puis, le premier jour de novembre exactement, nous nous sommes éveillés, le pauvre village de la plaine environné de dunes de neige comme un poste, au désert, dans ses sables.

Mais, du moins, ce matin-là, j'eus le bonheur, en guettant la montée, d'y voir paraître, plutôt que des petites silhouettes, dos tassé, épaules ramassées, la série des *cutters* : en tête, celui de Cellini qui entra un moment chauffer ses grosses mains au-dessus de la grille, un homme expéditif ne perdant pas un instant à m'apprendre que dorénavant il emmènerait ses enfants à l'école, les reprenant à quatre heures tapantes, et qu'on se le dise, il n'attendrait pas les punis, ceux-là n'auraient qu'à faire la route à pied, ça leur servirait de leçon ; ensuite Odilon Lachapelle, si pressé de repartir qu'il était déjà sur le chemin de retour alors que le plus petit des enfants avait tout juste le pied hors du *cutter*; puis un énorme moustachu, la troupe des petits Auvergnats serrés autour de lui sous la même peau d'ours; enfin Morrissot, qui emmenait avec les siens les enfants Badiou. À voir cela, je me demandai pourquoi tous n'avaient pas songé à le charger, lui ou un autre, de faire la cueillette des enfants de ce côté, quitte à le dédommager de sa peine plutôt que de se mettre en route tout le monde, et qu'à ce compte ils seraient encore gagnants, mais apparemment ce n'était pas encore la manière de penser de nos gens, en ce temps-là.

Pendant que les enfants, heureux de n'avoir plus à faire la route à pied, allaient suspendre leur manteau au vestiaire et se parlaient gaiement entre eux, une agréable odeur de froid et de neige se répandait, tempérée par les bouffées d'air chaud qui s'échappaient de la grille.

Je me réjouissais avec eux. Maintenant ils commenceraient la journée reposés, de bonne humeur, tout irait infiniment mieux. Alors je m'aperçus qu'André manquait. Je m'informai auprès des Morrissot et Badiou :

— Vous ne l'avez pas vu sur la route ?

— Non.

Il n'arriva qu'environ une heure plus tard, à pied, les joues brûlées par le froid, et il en tremblait encore après s'être tenu debout sur la grille pendant cinq bonnes minutes. Il eut de nouveau beaucoup de peine à fixer son attention sur la grammaire, la géographie, l'arithmétique ; à moi-même, en regardant l'enfant épuisé, ces matières ne me paraissaient pas valoir la peine d'en faire un tel cas. Je profitai d'un moment où il vint à mon pupitre me montrer son cahier pour lui demander à voix basse :

— Est-ce que bientôt ton père ne viendra pas aussi te conduire à l'école ?

— Pas question ! dit-il. Il a déjà trop à faire, le matin : le train, les bêtes, la traite...

— Mais, en ce cas, ne pourrais-tu pas t'arranger avec les

Badiou et les Morrissot? Tu irais jusque chez eux à pied et ils t'emmèneraient le reste du chemin.

Il rejeta les épaules en arrière.

— On n'aime pas être obligé aux gens. Il leur faudrait m'attendre si je n'étais pas chez eux à l'heure. Eux-mêmes ne partent pas toujours à l'heure dite. Non, on y a pensé, mais c'est trop demander.

— Bon! mais du moins, ton père va venir te chercher le soir. Maintenant qu'il fait sombre si tôt.

Dans ses yeux moins tristes que déjà résignés, ceux d'un homme qui en a vu de toutes les couleurs, passa une expression de contrariété... peut-être que j'en fusse à fouiller sa vie avec une telle persistance.

— Le soir, c'est la même chose, expliqua-t-il pourtant avec patience, comme si les rôles étaient renversés et que c'était moi l'enfant à qui on avait à ouvrir les yeux sur les dures réalités. C'est encore les bêtes, le train, la traite. Et puis notre vieux cheval n'en peut plus. On n'a que lui l'hiver. Il a déjà été deux fois chercher l'eau à un mille et demi. C'est dur en ce temps-ci. Il faut casser la glace. Le père est tout fatigué quand il revient du deuxième voyage... Faut pas lui en demander trop, fit-il avec pitié.

— Bien sûr, André. Je ne savais pas toutes ces choses, mais du moins tu pourrais rentrer le soir avec les Badiou. Il ne te resterait plus qu'un demi-mille à faire... Veux-tu que je le demande pour toi?

Il eut l'air hésitant, tourmenté entre sa nature secrète et la confiance que j'avais réussi à lui inspirer. Il finit par murmurer en levant les bras d'impuissance:

— Ça ne vaut plus la peine, mamzelle.

— Comment ça!

Ses lèvres frémirent.

— Eh bien, voilà! Je ne voulais pas vous le dire tout de suite. Maman disait d'attendre une semaine ou deux encore, que ce qui est pris est pris. Mais moi je sais bien qu'il n'y a pas d'autre moyen : je vais abandonner l'école, mamzelle.

— Abandonner l'école ! André, tu n'y penses pas !

Il battit des bras comme d'une paire d'ailes sans force.

— Le père peut plus suffire. D'ailleurs à quoi ça l'avance de trimer comme une bête ? Il va gagner un chantier de coupe de bois dans le Nord. Ça peut lui rapporter de quoi nous remettre à flot. Alors, moi, va bien falloir que je garde la maison.

— Mais ta mère ?

— Elle est au lit depuis presque deux mois déjà.

— Tu ne m'avais pas dit qu'elle était malade.

— Elle attend... fit-il brièvement.

À voix à peine articulée, il continua tout près de mon oreille :

— Si elle se lève, dans ce temps-là, elle risque de perdre son bébé et d'ailleurs elle est trop malade pour faire plus que diriger de son lit.

— Il n'y a pas d'autre aide chez vous ?

— Seulement Émile.

— Ton petit frère ? Quel âge a-t-il ?

— Rien que cinq ans.

Une lueur dorée, de fierté intense, presque de joie maternelle, s'alluma au fond des prunelles soucieuses.

— C'est encore surprenant ce qu'il peut se rendre utile : rentrer le bois, essuyer la vaisselle... C'est une bonne petite aide, Émile ! Le soir, quand j'ai le temps, je lui fais la classe. Il sait déjà lire. Vous allez voir, mamzelle, quand il viendra à l'école, il sera bien meilleur élève que moi, celui-là.

Son armure tombée, il était, pour l'instant, tout au rêve d'un sort heureux fait à son jeune frère Émile.

— En attendant, tu n'es toi-même qu'un enfant. Et bien trop jeune, voyons, pour garder une maison.

Il se raidit instantanément et corrigea, avec cette patience toujours dont il usait envers moi :

— J'ai dix ans faits. J'aurai mes onze ans dans deux mois.

Ce soir-là je m'arrangeai pour le faire monter dans le *cutter* de Guillaume Morrissot à qui je parvins en cachette à demander : « Tâchez, quand c'est possible, d'attendre André le matin, de le prendre avec vous le soir. »

Il me répondit assez aimablement :

— Si ce monde-là n'était pas si fier, bien sûr qu'on se refuserait pas le service entre voisins. Mais avec eux c'est pas facile, croyez-moi, mamzelle.

Assis au chaud avec les autres, sous les peaux, dans le traîneau qui partait vivement, seul André ne m'en parut pas montrer de joie. Le petit visage aux grands yeux tracassés était ailleurs, devançant les corvées qui l'attendaient. Jamais plus il ne devait revenir à l'école.

III

Des semaines, puis enfin des mois passèrent, et je m'aperçus que je n'avais pas été un jour sans me dire : ce n'est pas possible, il va revenir... Sans guetter chaque matin la petite montée solitaire, devenue une haute barrière de neige, dans l'espoir d'y revoir apparaître, telle que je l'avais vue la dernière fois, la frêle silhouette aux minces épaules ramassées... et je n'avais même pas de nouvelles. Rien toujours !

Je m'informais souvent auprès des Morrissot, des Badiou. Avaient-ils, eux, des nouvelles ?

La petite Lucienne se battait les flancs des deux mains. Elle disait :

— Que non, mamzelle ! Ils donnent pas signe de vie, les Pasquier. Ça fait que nous autres on attend. C'est mieux pas se mêler de ce qui nous regarde pas.

Un jour je rencontrai Mme Morrissot au magasin général.

— Cette pauvre femme, me dit-elle de Mme Pasquier, faut croire qu'elle est bien à plaindre, couchée presque tout au long de sa grossesse à cause de sa constitution, pas la même que celle des autres femmes. On lui porterait secours, mais c'est pas facile, vous savez, ces gens-là, malheureux, ne sont plus approchables.

À Noël, j'avais envoyé à André par l'intermédiaire des Badiou le petit cadeau que la Commission scolaire consentait à chaque écolier. J'y avais joint de ma part des bonbons et des fruits pour Émile. Je ne reçus qu'en fin de janvier un mot de remerciement et me doutai que les Badiou ne s'étaient guère empressés de faire parvenir mon envoi. La petite lettre de remerciement était signée de l'écriture déjà ferme d'André et au-dessous, en grosses lettres maintenues entre deux lignes tracées au crayon, Émile avait mis la sienne.

Puis vinrent février et des journées d'éclatante beauté. Le soleil prenait de la force. Un après-midi de temps doux suffit à faire fondre la neige de surface qui se cristallisa au froid de la nuit suivante, offrant le lendemain, sous les feux du soleil levant, les miroitements d'une pierre taillée en facettes innombrables. Cette croûte dure portait bien. Un samedi matin, je chaussai mes skis et, sans me soucier de suivre la route, partis à travers la plaine vers la ferme Pasquier.

Cette fois, l'abordant par derrière, du haut d'une butte, je découvris sans peine, entre les arbres dégarnis, la maison dans sa combe étroite. Elle y était terrée, elle et ses dépendances, noircie par le temps, mais pas vilaine de forme avec ses gâbles hauts comme pour capter un peu de ciel au bord de son nid sombre. Et sans doute durant les années où sa peinture était fraîche, jaune clair autant que j'en pouvais juger, elle avait dû être pimpante au milieu de la verdure. Je me laissai glisser jusqu'à la porte arrière qui paraissait la seule utilisée, comme dans bien des fermes, au cours de l'hiver. Une tranchée profonde creusée dans la neige y menait. Tout en ôtant mes skis, j'avais cru entendre, venant de la maison, de vagues bruits qui cessèrent net dès que j'eus cogné à la porte. J'imaginai une vive commotion à l'intérieur, personne sans doute ne m'ayant vue venir. Enfin je vis tourner la poignée, très lentement. La porte s'ouvrit d'un doigt, laissant voir une moitié de visage d'enfant aux yeux vert et or comme ceux d'André. Il exprimait la stupéfaction d'un naufragé voyant surgir un de ses semblables dans son île.

— Tu es Émile, toi, hein !

Alors il ouvrit la porte, me laissa entrer sans encore proférer un seul mot, me dévisageant avec une curiosité intense. Je me trouvai dans une grande cuisine claire, encombrée de lessive qui séchait suspendue à des cordes la traversant de part en part. D'une chambre qui donnait sur cette pièce une voix faible appela :

— Il y a quelqu'un ? Qui est-ce, Émile ?

Alors triomphalement partit la petite voix d'Émile, haute et menue, en direction de la chambre :

— C'est la demoiselle de l'école, maman.

— Ah ! mon Dieu ! s'écria la voix, devenant à l'instant chaleureuse. Fais-la vite entrer, Émile. Remets un morceau de bois dans le poêle. Prends-lui son manteau. Dès qu'elle sera un peu réchauffée, amène-la-moi.

Puis elle s'adressa à moi directement avant de m'avoir vue, avec un peu de gêne peut-être :

— Excusez le désordre, mademoiselle. Venez.

J'entrai dans la chambre à la porte ouverte, vis sur un grand lit de fer, couchée à plat sur le dos, la couverture dessinant son ventre gonflé, une femme au beau visage dans lequel les yeux immenses, tristes et doux, me considéraient avec une chaude émotion.

— Vite, Émile, débarrasse une chaise pour la demoiselle... Non, mets plutôt les vêtements sur le coffre... Ah ! qu'il y a de la poussière sur la table ! Donne un coup de chiffon, mon petit Émile.

Et à moi :

— Prenez place, mademoiselle, prenez place.

Aussitôt que je fus assise près du lit, elle allongea une main maigre qui saisit la mienne, la serra, cependant que des larmes jaillissaient sur son visage. Debout sur le seuil, Émile ravalait les siennes à grand-peine. Elle s'en aperçut, le renvoya avec tendresse :

— Allons vite, rends-toi utile, garnement. Monte sur une chaise. Ouvre un peu la clé du tuyau, mais n'oublie pas, dès que pétillera le bois, de remonter la fermer. Et pendant que tu es sur la chaise, ramasse un peu le linge qui doit être à peu près sec. Plie-le proprement.

Quand l'enfant, occupé au poêle, fit assez de bruit pour couvrir nos voix, elle s'excusa à moi :

— Ne pas même me lever pour vous accueillir, qu'allez-vous penser, mademoiselle ! Mais le docteur me l'a strictement interdit. Et maintenant que j'ai fait tout ce long chemin pour lui, je ne voudrais pas le perdre, fit-elle en promenant sa main avec douceur sur son ventre. Pourtant, nous ne le voulions pas celui-là, au début.

Ses yeux se mouillèrent de nouveau.

— Émile, oui, nous le voulions, même si j'avais été au lit pendant six mois avant la naissance d'André et que nous savions ce qui m'attendait. Quand même on s'était dit, Antoine et moi, que ça valait la peine. Mais alors, après Émile, nous nous sommes dit : plus jamais ! plus jamais ! Et vous voyez ! C'est que la nature a ses exigences...

Émile était revenu sur le seuil de la chambre, son petit visage tendu à surprendre notre conversation.

Sa mère le renvoya de nouveau pour surveiller le feu, balayer un peu dans la cuisine.

Et elle me ressaisit la main, sourit presque gaiement à travers ses larmes.

— C'est André qui va être content. Il est à faire le train. Nous avons envoyé plusieurs bêtes chez le fermier voisin. Un Islandais. Brave homme s'il en est ! Thorgssen. Il s'occupe aussi de faire nos commissions. Mais il a quand même fallu garder une vache pour le lait de la maisonnée. Puis le vieux cheval au cas où Thorgssen s'absenterait. La volaille à soigner, la vache à traire, l'étable à nettoyer, c'est beaucoup pour un enfant de onze ans… sans parler des repas.

Je pris sur moi de lui demander pourquoi elle ne faisait pas appel à Mme Badiou qui paraissait toute disposée à aider.

— Ah que oui ! me répondit-elle. Une brave femme s'il en est ! Mais elle-même a six enfants dont l'aînée n'a pas encore sept ans. Un bébé tous les ans sans manquer. Et elle, si ses grossesses ne sont pas pénibles, ses accouchements par ailleurs sont interminables. Trois jours la dernière fois encore à hurler…

Tout à coup je n'en pouvais plus moi-même et pleurai avec elle sur la misère féminine.

— Du moins votre mari sera de retour quand…

— Ah, s'il le pouvait ! Mais son salaire, là-bas, pour l'hiver au complet, c'est notre seul salut. De quoi terminer enfin nos paiements sur la batteuse et nous sortir des dettes. Autrement…

À ce moment, un bruit de pieds se secouant de leur neige nous fit nous taire. André entra, envoya à la volée sa casquette à rabat se pendre à un clou au mur, se défit de sa veste, se pencha pour commencer à délacer ses hautes bottes. Ses gestes, son attitude, l'expression de son visage étaient ceux d'un homme qui rentre las et un peu abruti de la besogne routinière. Émile, de l'autre côté de la pièce, en pliant du linge, lui chuchotait de regarder… voir qui était là…

André leva les yeux, m'aperçut assise auprès de sa mère. Son visage se colora d'émotion. Il s'avança, la main tendue, un peu cérémonieusement, mais, aussitôt faites les salutations, il se pencha avec sollicitude vers sa mère.

— Tu n'as pas eu d'autres douleurs ? Ça va pour toi ?

Elle tendit la main, remonta comme j'en avais eu tant de fois envie la mèche cendrée qui lui retombait sur les yeux.

— Très bien, dit-elle. Mais nous allons garder ta demoiselle avec nous. Peux-tu t'essayer à faire une omelette ?

Il acquiesça joyeusement, s'en fut dans la cuisine enfiler un grand tablier à bretelles et se prit à son tour à lancer des commandements au petit Émile :

— Allons ! Du menu bois ou de l'écorce pour faire prendre le feu. Grouille-toi. Ou plutôt monte sur une chaise et ouvre la clé du tuyau pendant que je cours chercher des copeaux.

Monte sur une chaise ! Jamais certainement dans toute ma vie je n'ai entendu répéter en si peu de temps ce commandement et ne l'ai-je vu si souvent exécuté, car chaque fois que je tournais les yeux du côté de la cuisine, j'y voyais effectivement le petit Émile juché sur une chaise et hissé sur la pointe des pieds pour atteindre les meilleures tasses ou pour prendre la nappe neuve dans la haute armoire, ou pour refermer la clé du tuyau du poêle qui, décidément, ronflait trop fort.

André, de son côté, s'affairait. La mère me pria de tirer un peu son lit afin de pouvoir mieux suivre de l'œil les enfants à l'œuvre, les conseillant tout le temps.

— Bats tes œufs léger, André.

Je m'offris de l'aider.

Elle me chuchota :

— Faut pas, André aime faire tout seul. Il est ombrageux, et aussi il faut bien qu'il s'habitue.

Enfin je fus invitée à passer à table. Je pris une bouchée d'omelette. Je mâchai une substance sans saveur qui avait la consistance du caoutchouc. Je parvins tout de même à avaler la forte portion que m'avait servie André. Il me guettait de près et, quand j'eus avalé la dernière bouchée, envoya une bourrade à Émile :

— Tu vois qu'elle est réussie, mon omelette !

Émile, faisant la grimace, repoussa son assiette.

— Est pas mangeable. Dure comme de la vieille botte !

Je me suis tournée du côté de la mère. Nous avons échangé un sourire furtif. André lui avait apporté un petit plateau. Elle mangeait, un peu remontée dans son lit, le dos soutenu par des oreillers.

Au dessert, ils allèrent se placer chacun d'un côté du lit, un petit plat à la main, et la firent manger à la cuillerée de la gelée de pembina, envoyée par Thorgssen. Ils la priaient à tour de rôle :

— Une cuillerée pour André !

— Une cuillerée pour Émile !

Sans appétit, elle avalait avec peine pour leur faire plaisir.

Je pensai à la reine mère chez les abeilles, secondée de leur mieux par ses petits serviteurs dans sa terrible tâche de pourvoyeuse de l'espèce.

Le repas terminé, André s'attaqua à laver tout à la fois la vaisselle du matin et du midi, aidé d'Émile qui essuyait et, monté sur une chaise, rangeait les assiettes et les tasses.

Je proposai à la mère de dormir un peu, pendant que je me reposerais aussi avant de repartir bientôt, si je voulais faire le trajet de jour.

Elle me saisit à nouveau la main.

— Si vous vouliez... Si vous étiez assez bonne pour aider André. Je n'ai pas pu moi-même l'aider pour ce dernier problème de calcul. Il est découragé, ne veut plus ouvrir ses livres, et cela me fait une telle peine !

Je dis que j'allais l'aider, bien sûr. Il repassa alors un torchon mouillé sur la nappe de toile cirée de la table ronde, y gratta de l'ongle une tache rebelle, puis alla chercher tout son matériel d'écolier, les livres, les cahiers, la bouteille d'encre, et la grande table ainsi recouverte donna à la pièce un air d'école. Émile suivait tous nos gestes comme de mystérieux apprêts d'une fête inconnue.

Je saisis la difficulté sur laquelle avait buté André et commençai à la lui expliquer. Tout à coup je vis son visage gris de fatigue s'alourdir, tomber un peu vers son épaule, ses yeux se clore malgré lui. Il dormit ainsi, presque droit sur sa chaise, cinq, dix minutes peut-être. Je n'osai aucun mouvement, et contemplai tout à la fois avec gêne et soulagement ce petit visage nu devant moi. Il n'avait plus l'air que d'un enfant fragile. Dans le sommeil, sa tête penchée vers l'épaule, il me fit penser à une fleur ployant sur sa tige trop délicate. Il s'éveilla aussi brusquement qu'il s'était endormi, se secoua, s'excusa, mit son « endormitoire » sur le dos de la chaleur de la maison, dit qu'il était prêt maintenant à suivre mes explications. Et, en effet, j'eus le bonheur de le voir enfin les comprendre. Il en eut l'air fier et heureux.

— C'est pas tellement pour moi. Mais c'est pour aider Émile plus tard, quand viendra son tour.

— Pour toi aussi, mon petit, corrigea la mère. S'il y avait moyen que tu ne perdes tout de même pas ton année !

Je fis reprendre son problème à André pour être bien sûre qu'il avait compris. Je lui dis de garder cachée quelque part la solution, tâchant de refaire encore quelquefois le problème sans la consulter, si possible. Pendant que j'y étais, je lui taillai un peu de besogne d'avance, d'autres problèmes de calcul, quelques règles de grammaire, des repères en somme qui l'aideraient à travailler seul. Il était redevenu, comme à l'école, tendu à saisir la leçon, l'effort et une sorte de joie grave colorant son front. Le temps avait passé si vite, je fus tout étonnée d'entendre, venant de la chambre, la voix douce de la mère :

— Émile, mon petit ! Je me demande comment vous y voyez encore. Monte sur une chaise prendre la lampe. Apporte-la-moi avec une allumette. Que je vous fasse un peu de lumière.

Je levai les yeux des cahiers, des livres ouverts. Au-delà du rebord de la combe, ce que je voyais de la plaine était blême déjà, le soleil descendu sous l'horizon. Une sorte de joie mystérieuse me sembla emplir alors la petite maison assombrie. Le premier, Émile glapit de bonheur :

— La demoiselle pourra plus partir. La nuit vient. Elle pourrait être mangée en route par les loups.

Moins débordant, mais ferme, André acquiesça :

— C'est vrai, mademoiselle, vous ne pouvez plus partir à

cette heure. La nuit vous surprendrait en route. On serait trop inquiets ici.

La mère appuya leurs dires :

— C'est vrai, à cette heure, ce ne serait pas sage.

Après quelques secondes d'hésitation, je me rendis à leurs objections. M'aventurer, à cette heure, à travers la plaine d'aspect solitaire et tragique ne me tentait guère, d'ailleurs. Aussitôt que j'eus incliné la tête en signe d'assentiment, une chaleureuse animation s'empara de la maisonnée, ordonnée pourtant, toute dirigée à partir du grand lit en fer.

— André, soulève la trappe, va dans la grande chambre du haut chercher les draps de lin. Ceux que nous avons apportés de France. Tu les étaleras pour les réchauffer sur des chaises devant le four ouvert. Et tout de suite, avant de monter, ouvre la porte de l'autre chambre en bas, afin que la chaleur y pénètre.

On envoya au diable la peur contre un embrasement du tuyau et de la cheminée, bourrant le poêle de bois léger qui pétilla allégrement. Émile fut prié de remonter sur une chaise et d'actionner de nouveau le tirage en ouvrant la clé. Pendant que les draps tendus de dos en dos de chaises, en se réchauffant, remplissaient la maison d'une délicieuse odeur, André, un bol à délayer et une tasse de farine en main, vint consulter sa mère sur la quantité d'ingrédients à mêler pour une pâte à crêpes.

Ce que nous avons mangé pour souper, je ne m'en souviens guère. Cela n'avait pas d'importance. Ce qui devint inoubliable, ce fut le réconfort et la tendre beauté de cet intérieur, ses deux lampes allumées, l'une dans la chambre de la mère, l'autre pour nous dans la cuisine, leur éclat se reflétant dans les vitres envahies par la nuit.

La vaisselle faite et le train à l'étable si vite terminé que je me demandai si André n'avait pas trait la vache qu'à moitié, le petit Émile s'enquit :

— On va veiller ? On va faire une vraie veillée ?

Comme soulagé du poids des corvées de la journée, toutes

achevées, André acquiesça avec indulgence. Il s'en fut dans le salon, condamné pour n'avoir pas à le chauffer, chercher un phonographe à pavillon qu'il installa sur la table et remonta à la manivelle. Il mit en place un disque. Il s'en échappa ce qui ressemblait par bouts, de très loin, à une vieille chanson de Maurice Chevalier. Ce que j'entendais surtout, pour ma part, c'étaient des crachotements, des sifflements, des miaulements... puis tout semblait sur le point de se désagréger. André se hâtait alors de donner quelques tours de manivelle. Les chuintements, les miaulements, les chevrotements reprenaient. Les enfants étaient dans la béatitude.

Les trois disques entendus et réentendus, Émile vint s'agenouiller par terre à mes pieds, planta ses coudes sur mes genoux, me regardant dans l'attitude d'un suppliant.

— Tu vas-tu nous raconter une histoire ?

Assis à califourchon, à la manière d'un homme, les mains jointes sur le dossier de sa chaise, André n'en avait pas moins d'écrit sur le visage le même désir qu'Émile.

Je les fis s'approcher et, mon Dieu, pourquoi, morte de fatigue comme je l'étais, ne souhaitant qu'aller dormir, me suis-je lancée dans la longue histoire d'Aladin et sa lampe merveilleuse ?

Sans doute à cause de l'effet de miracle qu'avait accompli en cette pauvre maison isolée le seul feu timide de la lampe. Mais, on le sait, cette histoire n'a pas de fin.

Je tombais moi-même de sommeil en la racontant. Je guettais Émile, je voyais ses yeux alourdis, pensais : « Bon ça y est, il va s'endormir, je vais être enfin délivrée », mais alors il portait les mains à ses paupières, les gardait de force entrouvertes, jusqu'à ce que lui passe le plus fort du besoin de dormir, puis se reprenait à me talonner sans pitié :

— Va donc toujours ! Elle est pas finie ton histoire !

Enfin elle fut finie. Je suis allée avec les deux enfants préparer la mère pour la nuit, lui souhaiter le bonsoir. Nous nous sommes couchés, moi dans la chambre de l'est, comme ils la désignaient, Émile dans une espèce de petit réduit donnant sur la cuisine, André sur un divan proche de la chambre de sa mère afin de l'entendre aussitôt si elle appelait.

André avait tellement activé le feu pour que la chaleur entre de mon côté que, les couvertures rejetées, j'avais encore trop chaud et mis du temps à dormir. Pourtant, deux heures plus tard peut-être, je m'éveillai transie.

La mère appelait doucement, avec le désir, on eût dit, de ne pas malgré tout le réveiller.

— André! Le feu est mort. Il commence à faire froid, André.

L'appel se renouvela un peu plus tard. André ne semblait pas bouger. Je me levai, m'approchai du divan où il dormait. Une pleine lune blanche, douce et tranquille, entrait en entier par la fenêtre de la cuisine. Elle éclairait le visage d'André, enfin au repos, sans soucis, sans angoisse, sans poids de responsabilité. Le front était lisse, le dessin de la bouche pur. Tout à coup je vis ses lèvres entrouvertes esquisser une ébauche de sourire. Quelle pensée en rêve lui avait donc enfin apporté la détente?

À la clarté de la lune, je trouvai sans peine de quoi rallumer le feu. En attendant qu'il fût bien en marche, j'allai m'asseoir auprès de la mère. Ses yeux brillaient dans la pénombre. Elle avait son chapelet à la main.

Je lui demandai:

— Quand ce sera le temps… comment vous y prendrez-vous?

— C'est tout simple, me rassura-t-elle. André ira à la course avertir notre bon voisin Thorgssen. Celui-ci attellera et partira chercher le médecin.

— Et s'il faisait très mauvais temps?

— Thorgssen ira quand même. Il l'a promis à mon mari. D'ailleurs il ne faut pas vous en faire à ce point pour moi, mademoiselle. Si j'ai des grossesses pénibles, par ailleurs j'accouche facilement. Vous savez, on ne peut avoir de son côté toutes les malchances.

J'allais me retirer. Elle me saisit la main de ce geste touchant qu'elle avait eu plusieurs fois déjà, comme pour marquer un grand besoin de l'âme allié à la confiance.

— Si mon mari revient tel que convenu vers la fin d'avril ou au début de mai et qu'André peut retourner à l'école, pensez-vous qu'il sera malgré tout possible de lui faire faire son année ? Je donnerais je ne sais quoi pour cela.

En mon for intérieur, j'en doutais. Je répondis simplement :

— Je ferai tout mon possible.

Une pression de sa main me remercia. Je retournai me coucher après avoir de nouveau réglé le tirage du poêle. Cette fois je dormis comme une souche. Quand je m'éveillai, il faisait grand jour. L'odeur du café frais moulu et du pain rôti sur la flamme embaumait la maison.

Étonnamment, André réussit à nous servir un excellent petit déjeuner. Le beurre surtout avait un goût très fin, baratté à la maison d'après les directions de la mère.

Je dis n'en avoir pas mangé d'une saveur si délicate depuis qu'enfant j'allais chez ma grand-mère. André rougit de plaisir.

Cette fois il n'était pas question de m'attarder. Sous le soleil haut, la plaine était comme au matin de la journée précédente, une mer lisse, douce et brillante. Il fallait se hâter de profiter de ces heures lumineuses. Je me rappelai avec une singulière sensation de malaise la venue soudaine, presque sinistre, de la nuit nous ayant surpris la veille au milieu de l'après-midi. Je dis adieu à la mère, aux deux enfants devenus soudain graves quand ils me virent prête à partir.

Je me hâtai, amenée enfin à réfléchir que, si en restant chez les Pasquier je les avais rassurés, du même fait j'avais bien pu plonger ma logeuse, au village, dans l'inquiétude.

Je parvins au bord élevé de la combe, le franchis, grimpai un peu plus haut encore, atteignis une légère butte. Là je m'arrêtai pour regarder un moment derrière moi. Je distinguais encore assez bien, au fond de son entonnoir, la petite ferme perdue.

Tout à coup la porte arrière s'ouvrit. Une silhouette aux minces épaules un peu projetées en avant parut, lança à la volée sur la neige le contenu d'un seau, en passa l'anse à son bras pour l'avoir libre, attrapa quelques morceaux de bois à brûler sous l'abri près de la porte, se chargea de quelque autre objet, peut-être un vêtement mis à aérer, puis entra en ramenant derrière elle la porte d'un preste mouvement du pied. Peu après, de la combe monta une fumée épaissie.

Je repartis, me disant : il n'y a rien à craindre, la maison est bien gardée.

De la truite dans l'eau glacée

I

Dans toute ma vie d'institutrice ai-je jamais eu aussi peur que de cet enfant-là, bien avant de l'avoir vu au reste, à peine en effet étais-je arrivée, toute désarmée, prendre mon poste dans ce village isolé de la plaine.

Si, dès les premiers jours, alors que tout paraissait bien s'amorcer entre les élèves et moi, je m'arrêtais, toute contente, pour en parler joyeusement en attendant mon courrier dans le coin-poste du magasin général, sans faute il se trouvait quelqu'un pour rabattre mon ardeur neuve de débutante.

— Ah, ça marche donc si bien ! Tant mieux ! Tant mieux ! Profitez-en. Car ce sera une autre histoire quand vous arrivera Médéric.

On me raconta qu'il avait tenu en échec, à la pointe de son canif, la « maîtresse d'avant » qui entendait le punir à coups de règle. On prétendait... On prétendait... Il n'y eut personne pour ne pas me prédire que ce serait entre nous la guerre... une guerre à finir. Et en effet ce devait être entre nous la guerre, mais bien plus complexe qu'ils ne me l'avaient prédite, une guerre mystérieuse où nous nous sommes affrontés pour ainsi dire sans armes, également démunis tous deux.

La première quinzaine de septembre était passée. Les lourds travaux agricoles s'achevaient dans presque toutes les fermes. On livrait le blé moissonné et le déchargeait dans les énormes silos du village dont en passant je récoltais l'âcre odeur, chargée pourtant comme aucune des lents, des doux mûrissements de l'été. Mes grands élèves qui avaient aidé aux moissons rentraient un à un. Tous sauf Médéric ! Je l'attendais, davantage effrayée à mesure que passait le temps et que mon imagination avait le loisir de me le représenter sous des aspects de jour en jour plus détestables. Et puis un matin où je l'avais tout de même oublié, absorbée par ma tâche, voici qu'il surgit à l'improviste, me prenant par surprise comme c'était bien dans ses cordes.

J'étais au tableau noir. J'y écrivais les données d'un problème. Derrière moi tout à coup un silence total ! Je me retournai d'une pièce, immédiatement alarmée. La classe ne faisait plus cas de moi. Petits ou grands, ils avaient tous les yeux rivés, au loin de la plaine, à un point blanc qui approchait rapidement. Je fis comme eux. Le point blanc devint cheval à crinière noire. Et bientôt je distinguai, presque couché sur le dos de sa monture, un jeune cavalier qui, à gestes emportés, stimulait l'allure déjà forcée de la fougueuse créature. Il portait à l'arrière de la tête un immense chapeau de cow-boy qui, lorsque je le vis de plus près, me parut cabossé et malmené à dessein. Autant que les enfants j'étais accaparée par la spectaculaire arrivée, ayant tout de suite compris qu'il s'agissait de Médéric.

Il était déjà à l'entrée de la cour. Plutôt que d'y pénétrer par le chemin, il éperonna son cheval, lui fit franchir au saut le barbelé et continua sur sa lancée jusqu'au grand mât en haut duquel flottait l'*Union Jack*. D'un bond il fut à terre, occupé à attacher le cheval qui en secouant furieusement la tête ébranla le poteau et fit trembler le drapeau comme sous une rafale.

Après cette furie de vitesse, lui-même s'en vint sans aucunement se presser, traînant plutôt le pas et se dandinant comme pour mieux exaspérer l'attente dans laquelle il nous avait plongés.

Enfin, le garçon, son large chapeau à présent ramené sur le

front, parvint au seuil. Il s'y campa, jambes écartées, les mains au fond des poches de son pantalon à franges, une ceinture cloutée sur les hanches, en bottes à talons et dessins mexicains. Là il nous toisa d'un regard où il y avait du dédain, de la commisération pour les prisonniers que nous étions et peut-être, tout au fond derrière la fanfaronnade, la connaissance d'une déjà longue solitude. Puis, à souples foulées, en sifflotant sans plus de gêne que s'il eût été dans la rue, il s'avança dans l'allée du centre.

Ma classe comme la plupart des écoles de campagne en ce temps-là était meublée de bancs à deux places, fixés à un long pupitre qui comprenait un encrier à chaque bout de la tablette, une rainure pour les crayons et, à l'intérieur, deux cases séparées.

Médéric atteignit le milieu de la salle. Il y avait là un pupitre occupé à un seul bout par un de mes plus petits élèves. Médéric se laissa choir à côté de lui et, d'un mouvement de hanche, l'envoya voler dans l'allée de gauche, lui-même se carrant pour prendre toute la place. En même temps, il me décocha un regard où il y avait moins d'insolence, il me semble, que de désir de s'amuser au moins un peu ici puisqu'il n'y avait mieux à faire.

J'aidai à se relever le petit qui pleurait de se retrouver sur le derrière avec toutes ses affaires étalées sur le plancher. Je dis : « Viens. Aussi bien t'installer ailleurs que rester auprès de ce grand flandrin qui n'a pas encore appris à vivre. »

La langue me démangeait pour continuer sur ce ton, mais je pus me contenir et me remettre à ma leçon comme si de rien n'était. Pourtant, je n'étais occupée que de Médéric, je l'étudiais du coin de l'œil, cherchant le défaut de la cuirasse, et lui peut-être de même chez moi, car, à plusieurs reprises, je vis son regard me chercher avec agacement et peut-être du dépit qu'il n'eût pas encore réussi à me faire sortir de mes gonds. Un instant plus tard, toutefois, quand je me figurai avoir peut-être capté son attention, son regard venant à moi avec une sorte de surprise, et que je déployais plus de moyens encore pour le garder, il me bâilla ostensiblement au nez, mâchoires grandes ouvertes, tout en étalant dans l'allée ses longues jambes fines. Ainsi fut-il préparé, en leur tendant des crocs-en-jambe, à faire tomber sur le nez presque tous ceux qui passèrent par là. C'est à peine s'il daigna reculer un peu les jambes quand je pris moi-même cette allée.

Et je laissai faire, car que faire ! J'avais dix-huit ans, et lui s'en allait sur quatorze. Il me dépassait aisément d'une tête et sans doute davantage dans bien des choses de la vie.

Ainsi, sans que je le veuille, ce qui me servit le mieux contre Médéric, dès le début, ce fut précisément ma gaucherie. Ne sachant comment m'y prendre avec un garçon de cet âge, n'osant rien, ne disant rien, mais par contenance gardant un air lointain et inaccessible, je finis par l'énerver prodigieusement. D'ennui, ne trouvant comment me faire perdre patience, il se prit à déchirer des pages de son cahier dont il faisait des boulettes qu'il enduisait de colle pour ensuite, en se servant de sa règle à mesurer comme d'un lance-projectiles, les envoyer, d'un habile coup de pouce, se fixer au plafond. Ayant commencé ce jeu qui ne l'amusa apparemment pas longtemps puisque je n'y prêtais pas attention, il se vit en quelque sorte contraint à continuer, quoique s'embêtant de plus en plus. Ainsi passa la journée. À quatre heures, la classe se disposant à sortir, je le rappelai, prononçant son nom pour la première fois :

— Médéric Eymard !

Il se retourna d'une pièce, l'œil déjà allumé, serrant les poings, en état de défense.

— C'était tout simplement pour te parler. Mais si tu as peur !

Du regard il chercha la complicité de la classe pour l'amener à rire de ce que je sois assez simple pour le croire capable d'avoir peur de moi. Avait-il déjà perdu de son ascendant ? Il n'accrocha pas beaucoup de regards. Les rangs s'écoulèrent, le laissant seul au milieu de la classe, comme un bois de grève égaré sur la plage. Il revint à sa place en essayant encore de faire le fanfaron. Bientôt, dans le silence que je laissai durer, il se prit à se ronger les ongles. À mon pupitre, je me cherchais une contenance. Je rangeai des papiers. J'ouvris des cahiers. Je faisais mine d'être absorbée. En fait, j'attendais que mon cœur se calmât. À la longue, j'osai lever les yeux vers lui, et il me parut qu'il était aussi en peine que moi. L'idée de lui parler de maîtresse à élève à travers tout cet espace vide me sembla ridicule. Je me levai, je marchai jusqu'à son pupitre et, un peu craintive, en serrant ma jupe autour de moi, je m'assis à l'extrême bout de son banc. Lui alors tira un peu les jambes pour me faire place. Nous sommes demeurés côte à côte, en silence, à regarder devant nous, je ne sais combien de temps. D'un mouvement de tête, j'envoyai en arrière mes cheveux dont quelques mèches folles me voilaient toujours un peu le visage. Je me risquai à observer Médéric. Alors je vis bien qu'il n'était après tout qu'un enfant, la nuque fragile, le corps élancé, mais délicat. Ses yeux surtout qui s'étaient comme infiniment éloignés de moi, me frappèrent. Ils étaient d'une couleur comme je n'en avais encore jamais vu et n'en ai pas revu depuis, entre le bleu et le violet, qui me fit penser aux teintes rares que revêtent parfois les crépuscules d'été.

Sous de longs cils noirs très touffus, ils semblaient à présent à la gêne, confus, troublés. Je me rappelai les dires de ma logeuse : « Ne vous laissez pas prendre aux yeux angéliques de Médéric. C'est pour mieux damner les autres qu'il a ces yeux-là. » Assise près de lui et silencieuse, je l'intimidais fort en tout cas, sans que nous comprenions l'un et l'autre, je crois, comment cela s'était produit. Je laissai passer quelques minutes encore sans parler. Ce silence que j'observais à mon bout de banc, les doigts joints, c'était ma force auprès de lui sans que j'en eusse conscience.

À la fin, je me parlai pour ainsi dire à moi-même :

— Supposons qu'arrive bientôt l'inspecteur des écoles ou le curé qui n'a pas, à ce que l'on dit, l'humeur à rire, ou même seulement quelqu'un de la Commission scolaire et que l'on cherche à savoir : « D'où vient cette curieuse décoration du plafond ?... » Que pourrais-je répondre sinon : « De mon plus grand élève, figurez-vous, sur lequel je n'ai pas d'autorité, vu qu'il me dépasse d'un bon demi-pied... »

Je marquai une pause.

— ... le seul d'ailleurs assez grand pour me décoller tout cela, s'il le voulait bien...

Sans détourner les yeux du point qu'il fixait au loin devant lui, Médéric accusa le coup, je le constatai à un mouvement des épaules et à la contrariété qui se répandit sur son visage, obligé qu'il se sentit de me donner raison.

Brusquement il sortit de son banc, s'en fut chercher l'escabeau en arrière de la classe, y monta et, à l'aide du balai, trima à défaire son travail de la journée. D'en bas, je l'encourageais :

— Ce coin-ci encore ! Ce coin-là !

Quand il descendit, rouge de l'effort, il était moins offensé, je pense, qu'étonné à l'extrême que j'aie pu l'amener à faire la femme de ménage. Il me dévisagea dans un mélange de défi et d'embarras. Mais il avait surtout hâte de s'en aller et, tout à coup, sans bonsoir ni salut, il était dehors. Il enfourcha son cheval, envoya promener sur la nuque son immense chapeau, lança sa monture à toute allure, l'excitant de la voix, et ne fut bientôt plus, comme au matin, mais cette fois s'amenuisant de minute en minute, qu'un point noir et blanc dans l'immensité de la plaine rase. Je le suivis du regard jusqu'à ce que l'eût englouti la bleuissante distance. Le spectacle, qui n'avait été donné apparemment que pour moi seule, à la fenêtre, me parut bien, cette fois, l'aveu d'une solitude comme il ne peut y en avoir d'aussi profonde qu'aux derniers jours presque de l'enfance.

II

J'avais eu tort de croire Médéric pour autant gagné. Il est vrai, il ne mit plus mon autorité en péril devant les autres. Il feignit de se conformer aux règles du jeu. Il consentit même à se séparer en classe de son chapeau de cow-boy. En l'enlevant un matin, il alla jusqu'à décrire à mon endroit un salut si exagéré qu'il ne pouvait être pris pour une politesse. Mais en dehors de ces moments où il était parmi nous, pour se moquer de la classe, il était toujours insaisissable. Je déployais d'inouïs efforts d'invention pour obtenir son attention. Parfois, pendant un moment, attiré malgré lui, il me regardait comme s'il allait peut-être se laisser prendre, puis subitement il n'était plus là. Il partait, les yeux au loin, dans quelque rêverie dédaigneuse de nous tous. J'en eus du chagrin, bien qu'en mon for intérieur je souhaitai souvent voir aller au diable cet indiscipliné. Ma classe marchait si bien avant qu'il n'arrive, pourquoi, me demandai-je, avait-il fallu que j'hérite de ce phénomène. J'essayai deux ou trois fois de n'en faire aucun cas, de l'abandonner, puisque c'était ce qu'il voulait, à son ignorance, à son oisiveté, mais ce fut bientôt plus fort que moi, je fus reprise par la frénésie de le faire avancer coûte que coûte. Telle était alors ma fièvre, impérieuse comme l'amour, en fait c'était de l'amour, ce passionné besoin que j'eus toute ma vie, que j'ai encore de lutter pour obtenir le meilleur en chacun.

Je revenais près de Médéric et mettais tout en branle pour capter cet esprit voyageur. Il m'arrivait d'éveiller l'expression d'un fugitif intérêt sur ce visage à l'air absent, puis il avait fui hors de ma portée. Quelquefois, en le regardant, si proche et toujours prêt à décamper, j'avais l'impression d'une bête innocente qui va peut-être finir par se laisser prendre et, tout en souhaitant la capture, j'en vins à ressentir une certaine peine pour elle. Dans sa liberté de rêve, Médéric devait errer infiniment loin, car si, à bout de patience, je le rappelais un peu vivement, il mettait du temps à revenir et, chaque fois, accusait le coup de se trouver derrière un pupitre à l'école, comme par un mouvement d'encolure pour se débarrasser d'une attache. J'en vins à éprouver de l'hésitation à le ramener de ses voyages d'imagination. Pas qu'ils fussent tous heureux ! Au crépuscule plus accentué de ses yeux, je devinai qu'ils l'entraînaient parfois vers de douloureux souvenirs. Mais bien souvent aussi ses rêveries l'emportaient vers le refuge hors d'atteinte que se construit l'enfant à son âge le plus vulnérable. Et ce fut de ces voyages-là que j'eus bientôt le plus de scrupule à le distraire. J'en étais à peine moi-même guérie, à peine sortie des rêves de l'adolescence, si mal encore résignée à la vie d'adulte que, de ma classe, tôt le matin, lorsque je voyais apparaître mes petits élèves sur la plaine fraîche comme l'aube du monde, j'avais parfois l'impression que j'aurais dû courir vers eux, me mettre à jamais de leur côté et non les attendre au piège de l'école.

— Allons, Médéric, reviens !

Comme j'en étais venue à l'en prier maintenant avec ménagement, il ne manquait pas de revenir pour un moment à mon appel, à l'occasion me souriait même en me reconnaissant... avant de s'en retourner.

Je ne lui avais pas donné de compagnon de pupitre, ayant compris qu'il n'en supporterait aucun. D'ailleurs, lequel lui donner ? Aussi peu avancé qu'il l'était pour son âge, il m'aurait fallu lui en assigner un plus jeune que lui, ce qui l'eût humilié et lui eût fait davantage ressentir son isolement. Je laissai libre le côté droit du banc, et c'est ainsi, cette place se trouvant disponible, que je pris l'habitude, ne m'en apercevant pas, quand j'avais à expliquer un problème à Médéric en particulier, de m'asseoir près de lui. Inconsciemment, j'avais dû noter que, debout près de cet adolescent élancé, je paraissais petite, menue, m'imaginant que j'en perdais à ses yeux du prestige, de l'autorité. Par ailleurs, si je le faisais venir près de moi assise à mon pupitre, c'est lui, mince et gauche, plié pour suivre la leçon, qui diminuait en grâce. Ce dut être dans le but d'éviter ces désagréments que je commençai à aller m'asseoir à un bout de son banc quand me reprenait la passion de lui faire entrer à tout prix une leçon dans la tête. Puis cela me devint naturel, et je le faisais souvent, quoique en prenant garde de laisser entre nous le plus d'espace possible. Un jour, par maladresse, nos genoux s'étant frôlés, il retira sa jambe avec la vivacité d'un animal ombrageux. Autrement, il paraissait accepter comme allant de soi que je m'asseye auprès de lui, ce que je faisais au reste avec plusieurs autres enfants, quoique moins grands que lui. À m'acharner à lui parler ainsi les yeux dans les yeux, je pensais gagner du terrain et que j'en viendrais à éveiller en lui des goûts studieux.

Plus expérimentée, je me serais peut-être aperçue qu'il en gagnait au moins autant que moi-même et en bien des cas m'en faisait perdre.

Un jour, une grammaire ouverte devant nous, je m'épuisais à lui faire apprendre une règle d'accord de participe et saisis à son expression qu'encore une fois il ne m'écoutait plus. Son regard errait sur les champs alentour et, pendant un moment, laissa entrevoir une telle envie d'être dehors que, moi qui n'avais jamais vu de prisonniers, imaginai que c'est peut-être de la sorte qu'ils contemplent les horizons libres. Gaspard, l'étalon blanc à crinière noire, attaché au mât, dressa à cet instant sa tête fine, l'œil tourné vers l'école. J'avais plusieurs fois prié Médéric de l'attacher ailleurs, lui ayant fait la remarque que l'inspecteur des écoles dont on attendait la visite d'un jour à l'autre me ferait sûrement reproche de permettre ce qui pouvait avoir l'air d'un affront au drapeau de Sa Majesté britannique. Médéric avait esquissé une moue, me donnant à entendre que pour lui c'était plutôt une marque d'honneur à Sa très britannique Majesté que d'allier son emblème à un si noble animal. Il s'était tout de même plus ou moins engagé à me satisfaire sur ce point, mais autour de l'école il n'y avait d'un peu élevé que ce petit tertre où Gaspard, quand il s'ennuyait trop, pouvait au moins voir à l'intérieur de la classe, poussant alors parfois en plein milieu d'une leçon un hennissement étrange, si doux et suppliant qu'il nous coupait le fil complètement. Je savais que Médéric ne consentirait jamais à priver Gaspard de la consolation d'apercevoir les enfants par les fenêtres, de temps à autre, au cours de la journée. Je patientais, espérant que l'inspecteur retarderait sa visite jusqu'aux froids « car alors, m'avait dit Médéric, si par hasard je viens encore à l'école, il me faudra trouver pour Gaspard une place bien chaude dans une étable assez proche ».

Donc j'en étais ce jour-là, je m'en souviens fort bien, à parler de « participes qui s'accordent si... par ailleurs ne s'accordent pas quand... » lorsque Gaspard avait tourné vers nous, à l'école, sa tête au mince front allongé. Peu après, dans le silence de l'après-midi, jaillit un vibrant cri de reproche. Ce n'était pas le hennissement habituel de Gaspard. C'était comme s'il eût cherché à nous faire entendre combien il était fou de laisser passer la vie attachés, lui au mât, nous, les enfants et la maîtresse, à nos pupitres. La plainte dut nous atteindre tous, car nous avons ensemble levé les yeux et nous nous sommes évadés par la fenêtre, dans une immobilité rêveuse, en un essaim silencieux. C'est que la journée était belle à en couper le souffle et nous n'en avions rien vu encore. Loin, au fond du pays plat, tout contre l'horizon tendu de bleu vif, une ligne basse de buissons embrasés des couleurs de l'automne semblait brûler. Si forte était l'illusion du feu que l'on croyait voir trembler l'air là-bas comme au-dessus d'un brasier. Il y avait donc ce feu qui brûlait indéfiniment sans se consumer et mettait en relief la transparence de l'air, le délicat coloris du ciel et surtout, je pense, en dépit de son éclat, la tranquillité profonde de la journée, car c'était bien en fin de compte ce silence, ce calme amassé, que faisait valoir la flambée des buissons.

Je revins à grand-peine de la contemplation d'un instant magnifique qui se dévorait lui-même tout en restant. Et je m'en pris aussitôt à mon rêveur :

— Médéric, où es-tu ?

Sans m'accorder son regard, il eut du moins pour moi le sourire à peine esquissé de qui est à ses affaires secrètes et ne veut cependant pas paraître grossier à l'importun.

— Je parie, lui dis-je, que tu galopes avec Gaspard vers ce petit bois qui brûle là-bas.

Cette fois il tourna les yeux vers moi. Ses pupilles étaient voilées de rêve. Il en persistait la trace — cette mince pellicule un peu embuée avant que ne se dissipent les images, fragile frontière entre ce côté-ci et cet autre des choses.

— Non, dit-il, comme en dehors de sa volonté et peut-être inconscient de ce qu'il commençait à s'ouvrir à moi, aujourd'hui, s'il n'y avait pas d'école, c'est dans les collines de Babcock que j'irais.

J'avais moi-même gardé de ces petites collines, traversées en venant prendre mon poste au village, un souvenir obsédant qui me faisait me dire presque chaque jour que je devrais retourner les voir.

— Du train, se moqua Médéric, c'est rien ce qu'on en voit. C'est à cheval qu'il faut y aller... ou à pied... et, ajouta-t-il à voix plus basse... seul.

— Oh, que toi tu te plaises dans ces lieux sauvages, n'ai-je pu m'empêcher de riposter assez vivement, c'est pas diable à imaginer, mais Gaspard, lui, que trouve-t-il de si bon là-haut ?

— Une herbe spéciale, dit Médéric avec une sorte de patience à son tour pour mon ignorance, aussi l'air plus vif, mais avant tout de voir loin autour de lui.

— On dit pourtant qu'un cheval a la vue courte.

— Possible, me concéda Médéric. Mais mettez un cheval en liberté dans un pâturage où il se trouve un point qui commande une vue, et c'est là, dans quelques heures, que vous le verrez, au plus haut qu'il peut atteindre, et l'air heureux.

— C'est vrai ce que tu dis là, fis-je, étonnée de la justesse de son observation, ce qui lui plut à l'égal d'un compliment, mais pourquoi fallut-il que je gâte tout en ajoutant :

— Que tu aies seulement autant d'application en classe que tu portes d'intérêt à la nature, et tu serais un as.

Il marqua qu'il s'en souciait comme de ses vieilles culottes. Sans me montrer de mauvaise humeur pourtant. Au contraire, il était presque aimable tout à coup, et bientôt je compris pourquoi, c'est qu'il entendait profiter de mon attendrissement pour m'extorquer une permission :

— Mamzelle, me permettriez-vous d'aller faire boire Gaspard. J'irai vite.

À la récréation qui s'était terminée il n'y avait pas si longtemps, il l'avait pourtant mené à l'abreuvoir au bout du terrain réservé à l'école. Donc c'était autre chose que de l'eau qu'il entendait offrir à Gaspard. Je le regardai et pensai : décidément il ne fait qu'un avec son cheval, n'obéissant lui aussi qu'à l'affection et peut-être à la fin, s'il s'en trouve un pour le mater, sera-t-il tout à un maître.

— C'est bon, dis-je d'assez mauvais gré, cours dire à Gaspard de patienter, que la journée s'achève, mais hâte-toi, car tu me fais mal voir au village avec tes caprices et tes originalités.

— Oh, le village! fit-il avec une sorte de commisération joyeuse et il s'envola pour aller sans doute murmurer quelques encouragements à Gaspard, car je ne le vis pas détacher le cheval, seulement se tenir près de lui en ayant l'air de lui parler à l'oreille, et le cheval, baissant le front, donna de rapides petits coups de collier, comme s'il acquiesçait: « Bon, je vais essayer de me contenir, mais, de ton côté, tâche que finisse cette école. »

Quand il rentra, tout heureux de s'être mis d'accord avec Gaspard et peut-être d'avoir humé l'air frais dont on respira le piquant sur ses vêtements, je me sentis agacée, sans doute de lui voir toujours, en dépit de mes efforts, prendre plus de plaisir au dehors qu'à l'école, et je lui fis un reproche intempestif:

— Vraiment, Médéric Eymard, haïssant l'école comme tu la hais, je me demande pourquoi tu y viens.

Le violet de ses yeux tourna à la nuit. Je crus bien perdu le peu de sa confiance que j'avais été longue à acquérir. Je vis apparaître le garçon rageur, emporté, prêt à tout saccager, dont on m'avait fait le portrait à mon arrivée au village et qu'au vrai je rencontrais pour la première fois. Il se calma toutefois comme si, réflexion faite, il jugeait que je ne valais pas la peine d'une grande sortie. Il répondit sèchement:

— C'est à cause de mon père. Il m'y oblige. Sans quoi, vous pouvez être sûre que je n'y serais pas un jour de plus, à votre damnée école. Il a la loi de son côté. Deux fois déjà il a mis la police à mes trousses, le printemps dernier quand j'ai cherché du travail dans une ferme, et une autre fois, lorsque j'ai rôdé avec mon paqueton du côté de Babcock.

— Ah, Médéric, je ne pouvais savoir, lui dis-je sur un ton de grave regret.

Pour me faire pardonner, je ne trouvai mieux que de placer ma main au-dessus de la sienne qui reposait sur la tablette de son pupitre. Elle en couvrit à peine la moitié. Il s'en aperçut en mesurant distraitement nos mains du regard et malgré son agitation intérieure en fut sans doute touché, car il observa avec une bizarre gentillesse bourrue : « Hé, que vous avez la main petite, mamzelle », et tira aussitôt la sienne pour la mettre à l'abri sous la tablette. Une souffrance persistait dans ses yeux, que je m'ingéniai à dissiper.

— Cette année, as-tu encore essayé de t'échapper dans les collines ?

— Pour deux jours seulement. Le père est aux aguets maintenant. Ils m'ont retrouvé presque tout de suite, ramené comme un voleur...

Il vibra silencieusement d'un ressentiment longtemps contenu, puis releva la tête avec défi et m'annonça :

— Bientôt j'aurai quatorze ans. Alors le père ne pourra plus me forcer à venir à l'école. Je serai libre.

Le mot éclata en coup de clairon, me rappelant que moi aussi récemment j'avais cru par-dessus tout désirer la liberté.

— Qu'en feras-tu... de ta liberté ?

— Je... je...

— Même ton Gaspard que tu aimes tant n'est pas libre. Regarde : il vit au bout de sa chaîne.

— C'est parce qu'il est forcé de m'attendre, mais le jour où j'aurai ma liberté je lui donnerai la sienne.

— Et qu'en fera-t-il, le pauvre, sinon revenir vers toi au galop et, s'il ne devait pas te retrouver, en mourir peut-être de chagrin.

Médéric abaissa les yeux dans un étonnement attristé.

— C'est quand même vrai ce que vous dites. Alors, la liberté... et il trembla de la prémonition que rien dans la vie n'est peut-être, à la fin, à la hauteur de ce qu'on en souhaite à treize ans.

— Il y a peut-être quelque chose auquel on tient encore plus.

— Comme quoi ?

— Ah, je ne sais trop ! Pour certains, le travail, le devoir. Pour d'autres, l'amour. S'attacher en tout cas.

— Ah merci bien. Pas pour moi ! Pour moi ce sera toujours la liberté.

Je le laissai à son idée. Pourtant, c'est de ce jour, me semble-t-il, qu'il parut ébranlé, commença à m'écouter avec une certaine attention, se livra même à de réels efforts pour suivre la classe. Or, à l'heure où il luttait contre son penchant à la rêverie, c'est moi, n'en pouvant plus, qui perdais pied. Ce grand feu bas qui continuait à brûler au bord du ciel me jetait à présent dans un état d'insoumission. Si jeune, je me voyais enfermée pour la vie dans ma tâche d'institutrice. Je n'en voyais même plus le côté exaltant, seulement sa routine implacable. Mais, à vrai dire, je ne savais plus où j'en étais, un jour tout à me soucier comme d'habitude de l'avancement de mes élèves, le lendemain livrée à la mélancolie. Les dernières journées radieuses d'automne s'achevaient et me reprochaient de laisser passer sans profit ce qui a peut-être le plus de prix en ce monde. Quand Gaspard poussait son appel de liberté, c'est moi qui levais le regard vers le haut ciel dégagé. Je me demandais : à quoi vaut-il la peine de donner son talent, sa vie ?

Un jour, en passant près de Médéric, je me penchai pour jeter un coup d'œil à sa rédaction, mais au lieu de lui en parler je m'entendis lui demander :

— Tes collines, ce ne sont à vrai dire que des buttes ?

Il saisit son crayon et, à traits vifs, avec un talent qui me surprit, dessina un massif serré, planta là un arbre, ici des blocs de pierre éboulés, sur les pentes des arbustes, et avec peu de moyens parvint à créer l'atmosphère d'un lieu infiniment retiré, où il faisait bon se détendre.

Assise au bout du banc, je prenais plaisir à voir l'endroit sauvage prendre vie.

— Au milieu, m'expliqua Médéric, en en traçant le cours, il y a un ruisseau. Je l'ai remonté un jour jusqu'à sa source. Quatre heures de marche ! Elle n'est pas facile à trouver, cachée sous un arbre tombé. L'eau en est glacée. Un Anglais qui avait une cabane là-haut, il y a quelques années, a dû ensemencer le ruisseau de truites. Il en reste encore, et savez-vous ce qui est encore plus curieux, mamzelle...

Du moment qu'il avait commencé à parler des collines, j'avais vu apparaître un enfant délivré, à l'aise, respirant à fond. Sur le point d'aller plus loin dans ses confidences, il hésita un moment, chercha dans mes yeux si j'étais intéressée et, me voyant toute attention, poursuivit dans l'ivresse de partager avec moi ce qui lui tenait tellement à cœur.

— Et quoi donc, Médéric ?

— Eh bien, les truites remontent quelquefois à la source, et là, dans l'eau glacée, le croiriez-vous, mamzelle, elles se laissent prendre dans la main, je vous le jure, elles se laissent prendre et caresser... n'est-ce pas un mystère ?

— Peut-être est-ce le froid de l'eau, dis-je à tout hasard, qui les anesthésie.

— Prendre et caresser, reprit-il rêveusement, et ses yeux d'un violet alangui, son visage à nu révélaient l'amour à son plus délicat. Je découvrais encore une fois, et toujours avec la même surprise profonde, que le premier élan d'amour, à l'adolescence, est pour les petites créatures libres de l'eau et de la terre. Je voyais passer sur son visage le frémissement joyeux que lui avait procuré la sensation de tenir, tout consentant entre ses mains, le poisson le plus méfiant du monde, et me disais que ce serait bientôt son tour d'être pris, vulnérable comme je le découvrais, si moi-même je me montrais assez habile.

Une autre fois qu'il était en veine de confidences, il me raconta avoir découvert au plus profond des collines un tas d'ossements secs, si vieux et si usés par le temps que l'on n'aurait pu dire de quels animaux ils étaient les restes. Était-ce là le cimetière où ils allaient d'eux-mêmes mourir, selon le vieux ouï-dire ? Ou le site d'un piège cruel tendu aux bêtes par les hommes d'autrefois ?

— Plutôt cela, en effet, je pense.

Il parut satisfait de ma réponse et dès lors porté à croire qu'il y avait à apprendre de moi, même en des sujets en apparence loin de mes connaissances.

Il en vint à me faire part de sa découverte la plus étonnante : là-haut, tout au sommet de la colline, imprimée sur la pierre, « y a-t-il une explication à cela, mamzelle ? Une forme de poisson ! »

— Un fossile ! c'est possible. La mer Agassiz, aux siècles passés, a recouvert presque tout l'intérieur de notre continent. Que les eaux en se retirant aient laissé derrière elles, jusque sur les collines, des traces de vie marine, des coquillages, c'est dans la nature des choses.

Je faisais ma savante et lui, ébloui, semblait prêt à m'accorder désormais crédit dans tout ce que j'affirmerais. J'en profitai dès l'instant et lui dis :

— Si tu lisais un peu Médéric, au lieu de ne t'en remettre qu'à tes trottes pour apprendre, tu verrais que les livres aussi contiennent des merveilles.

Je l'envoyai chercher un des tomes de l'encyclopédie que j'avais à grand-peine réussi à faire acquérir pour l'école par notre très pauvre Commission scolaire et l'engageai à chercher sous la rubrique « Agassiz ». Ensemble, nous avons lu le long paragraphe qui y avait trait. Après, je vis à Médéric les mêmes yeux débordants de rêve qu'il avait eus en me parlant des truites se laissant prendre sous l'eau glacée.

— Ça dit exactement ce que j'ai vu ! s'écria-t-il, dans l'étonnement joyeux de se voir appuyé par le gros livre imposant.

Je peux dire que je connus l'instant précis où s'éveilla en Médéric l'amour des livres et j'en fus certainement heureuse au plus haut point. Pourtant, que c'est curieux, dès lors que lui découvrait le contentement de retrouver dans le consigné le mouvement, les surprises, les énigmes de la vie, voici que moi-même ne rêvais plus que de retourner, au-delà des livres, à ce qui leur avait donné naissance et ne s'épuisait pas en eux.

— Tes collines, lui demandai-je un peu plus tard, sont-elles habitées ?

— Personne là ! fit-il triomphalement. On y est toujours seuls, Gaspard et moi.

Passant d'un sentiment à l'autre, je fus sur le point de lui reprocher de prendre à son âge tant de goût à la solitude, mais me rappelai que moi-même je venais tout juste de quitter le temps où j'avais vécu pour ainsi dire le dos tourné aux gens. Je suppose qu'avant d'en venir à l'amour, on est saisi du pressentiment que viendra de ce côté-là l'essentielle souffrance de la vie et que l'on cherche, comme on peut, à s'en cacher, blotti en de frêles abris, ou alors, tel Médéric, prenant refuge dans l'innocente terre entière.

Il s'ouvrait maintenant le cœur sur ses joies un peu farouches, et il ne se passait guère de jours sans qu'il ne m'arrivât avec une graminée presque introuvable, un nid d'oiseau très difficile à découvrir en ces régions et même, une fois, un oiseau vivant gardé au chaud sous sa veste, qu'il allait remettre en liberté après me l'avoir montré, car c'était un spécimen dont nous avions regardé l'image sur une planche en couleurs, « et vous avez dit, mamzelle, que vous aimeriez le voir ».

Franchie la limite du royaume où hier encore, à l'égal de Médéric, j'avais été à l'aise, je rêvais d'y retourner avec lui pour guide, m'imaginant possible, dans ses pas, de retrouver accès à la frontière perdue.

Un jour que je l'avais gardé après les autres pour revoir un problème et que nous étions assis côte à côte, seuls dans la classe toute claire encore de la rougeoyante lumière des buissons lointains, je lui demandai à brûle-pourpoint, sans m'arrêter à considérer sur quelle folle pente je glissais : « Dis donc, Médéric, tes collines, elles sont très loin ? »

— Mais non ! Par les raccourcis que je connais, neuf milles seulement.

Peu après, lentement, il en vint à comprendre l'intérêt qui me faisait soulever la question.

— Vous aimeriez y aller ?

J'eus beau protester, il avait vu clair, et son expression toute transformée donna à entendre qu'auprès de moi enfin il se sentait à son avantage.

— Avec un bon cheval, c'est une affaire de rien. On serait là en trois heures, à partir du village, mamzelle.

Le ton était affectueux, suppliant, le regard aussi qui virait au violet doux.

— L'aller et le retour pourraient donc se faire en un jour ?

— Et il nous resterait du temps, mamzelle !

Alors je dis précipitamment pour me fermer la porte :

— Mais voilà, je n'ai pas de cheval.

— J'ai une petite jument toute douce, dit-il. Elle ne vous secouera pas du tout, mamzelle. Voulez-vous, je viendrai vous prendre de bonne heure, samedi prochain ?

— Pas si vite, pas si vite !

— C'est que l'automne achève.

— Novembre peut être beau encore.

— Mais...

Je méditais, non pas sur l'imprudence à laquelle j'étais en passe de consentir, mais singulièrement, à travers la confusion de mes pensées, sur le parti que je pourrais tirer du passionné désir apparu chez Médéric de m'emmener dans les collines. Je sondai ses yeux. Il n'y avait rien d'autre en eux que l'exaltation de l'âge adolescent à l'idée de partager avec quelqu'un qu'il en juge digne son amour d'un monde où il se meut si solitaire qu'il peut en venir à douter de sa splendeur infinie. Tout à coup Médéric était possédé de l'ardent besoin que je le rassure sur la beauté du monde sauvage.

— Veux-tu d'abord que nous fassions un pacte, toi et moi ?

Dans son regard vint alors un peu de ce mépris hautain

pour l'âge adulte que l'enfant n'éprouve jamais aussi fort qu'à la veille d'y entrer lui-même.

— Vous voulez dire un marché ?

— Si tu veux, mais il est juste. Toi, tu apprends tout ceci — j'indiquai une bonne tranche des pages d'une grammaire — et moi, dès que tu sauras ces conjugaisons, dans deux semaines, peut-être, si tu y arrives, j'irai avec toi dans les collines de Babcock.

Comment s'y prit-il ? Je n'en sais encore trop rien. À l'examen de fin de mois, réussit-il à copier la version d'un voisin ? Mais non, je le surveillais de trop près. Vint-il fouiller dans mon pupitre à la recherche des questions déjà rédigées, afin de s'y préparer ? J'en doute. Tout ce que je sais au fond, c'est que ses notes cette fois le situèrent dans une bonne moyenne alors qu'il avait traîné jusque-là loin derrière les autres. Je lui tendis son bulletin, et il lui échappa à la vue de ses notes une sorte de sifflement admiratif mêlé de gouaillerie comme s'il s'adressait à lui-même de malicieuses félicitations. Je crus surprendre dans son regard à cet instant l'éclair d'un triomphe quelque peu impertinent qui me déconcerta. Mais immédiatement après il me parut simplement heureux d'avoir gagné son pari.

Le samedi suivant, tôt le matin, après une nuit de gel léger qui avait purifié l'air et lui laissait du piquant, il était à ma porte, chevauchant Gaspard et m'emmenant Flora, douce petite jument que j'aimai tout de suite, dans sa simple robe rousse relevée d'une bande de blanc, lui allant du front jusqu'aux naseaux, et qui lui faisait un mince visage pensif.

III

Depuis plus de deux heures, nous montions en silence, Médéric le premier, sans que rien jusqu'au tout dernier moment laissât pressentir entre les blocs de pierre empilés, se maintenant dans le plus bizarre équilibre, la fente par laquelle nous nous faufilerions vers plus haut et plus sauvage encore. Jamais je n'aurais cru possible qu'en notre contrée sereine et unie pût se cacher un paysage de caractère aussi révolté.

Par moments Médéric s'arrêtait, humant l'air qui le servait apparemment autant que la vue pour se guider, puis, avec un flair stupéfiant, repérait la passe là où je n'avais vu moi-même que buissons enchevêtrés. Si loin dans l'arrière-saison, la journée s'annonçait devoir être radieuse, ce qui était rare en notre pays où neige et bourrasques surviennent tôt d'habitude. J'en avais fait la remarque à Médéric qui avait souri, sans marquer de surprise, comme s'il ne s'attendait pas à moins. Ensuite, nous ne nous étions pour ainsi dire plus parlé, concentrés sur la piste difficile. Quelquefois, cependant, Médéric se tournait vers moi et son visage, sous le chapeau à larges bords, s'éclairait brièvement à mon intention, pour m'encourager et sans doute me promettre la récompense, bientôt, de nos efforts.

Nous repartions à l'assaut d'un autre versant abrupt. Des cascades de pierraille qui se détachaient sous les pas de nos chevaux roulaient à n'en plus finir le long des pentes. Parfois un caillou solitaire atteignait le fond longtemps après les autres et sa chute, au sein du profond recueillement, résonnait d'une façon inoubliable. Puis un autre cirque étroit, et nous étions de nouveau enfermés en un oppressant silence. À l'ombre du roc terne, nous ne voyions presque jamais plus le soleil ni rien, au fond, de la journée radieuse, que, de temps à autre, des flèches de lumière égarée. Le pays toujours fermé sur soi, jamais ne s'ouvrant, montant en spirales de plus en plus resserrées, me déprimait. Mon école, le village, ma vie en bas me parurent avoir été aimables et comme depuis longtemps laissés derrière moi. Même la silhouette de Médéric que je voyais de dos ne me sembla plus familière. Il me vint le sentiment que c'était somme toute avec un garçon dont je ne connaissais pas grand-chose que je m'aventurais en pays hostile et inhabité. Une légère appréhension me toucha le cœur. Alors, Médéric se retourna, tout sourire sous l'immense chapeau, pour m'indiquer d'un geste triomphant, au-devant de nous, proche maintenant, le but vers lequel nous montions depuis des heures.

Les blocs de pierre aux formes sinistres s'espacèrent ; le paysage se dégagea ; un large aperçu de ciel jaillit entre les pitons rocheux ; une franche lumière nous accueillit. Et soudain, familière, paisible, pourtant renouvelée et infiniment plus visible pour nous avoir été dérobée pendant quelques heures, la plaine nous était rendue, toute immobilité, et cependant d'un mouvement, d'un élan irrésistible.

Comment en oublierais-je la vision ? Encore aujourd'hui, pour en accueillir le souvenir, mon âme s'élargit d'aise et de bonheur. Qu'y a-t-il dans le spectacle que l'on obtient d'une certaine hauteur pour tant nous satisfaire ? Est-ce d'avoir peiné pour le conquérir qui lui donne du prix ? Je ne le sais toujours pas. Tout ce que je tiens pour sûr, c'est que je n'ai jamais si bien vu la plaine, son ampleur, sa noble tristesse, sa beauté transfigurée, que ce matin-là, en selle à côté de Médéric, nos deux chevaux tête contre tête.

Ouverte à notre regard jusqu'au plus lointain, elle révélait d'innombrables détails captivants : par exemple, proche du ciel azur, cette terre fraîchement retournée, d'un noir aussi lustré que le feu de l'oiseau sombre qui la survolait ; plus haut, un champ où le frimas de la nuit adhérait encore aux bourrelets du sol et composait avec lui, blanc sur noir, les plus délicats fusains ; tout au loin, un infime carré de vert tendre — sans doute de jeunes pousses de blé d'hiver — pareil à un printemps captif dans son petit clos. Pourtant, ce n'était par aucun de ses aspects même les plus rares que la plaine prenait le cœur, mais au contraire, parce que, à la fin, ils disparaissaient tous en elle. Car si, au début, on voyait ceci et cela, et surtout le printemps dans son clos, bientôt on n'était plus conscient que de l'immuable. Les vagues rentrent dans la mer, les arbres dans la forêt, et de même, à la longue, presque tout indice de vie humaine, presque tout détail, dans le plan infini de la plaine. Ne disant rien de particulier, c'est peut-être ainsi au fond qu'elle dit tant. Et sans doute est-ce comment elle m'a si souvent rendue heureuse.

Je tournai les yeux vers Médéric. Sous le bord du chapeau tiré maintenant sur le front, il m'épiait passionnément, n'ayant cessé de me contempler qui contemplais la plaine, attentif à voir naître le bonheur qu'il avait espéré me voir prendre à ce haut lieu étrange. Maintenant que j'en rayonnais, lui aussi en rayonna. Était-ce pur don de sa part ? Ou avait-il eu besoin, comme il est si fréquent dans la vie, surtout dans la jeune vie, pour connaître pleinement ce qu'on possède, de le voir partagé par un autre ? Nous nous sommes regardés un moment, je m'en souviens, avec des yeux qui devaient être pareillement pleins d'une sorte d'éclaboussement joyeux. Puis, doucement, nous sommes partis à rire. Un doux rire léger, un peu indolent. Pourquoi riions-nous ? De nous découvrir si bien, ensemble, je suppose, unis dans la rare et merveilleuse entente survenant entre deux êtres qui fait qu'ils n'ont plus besoin de mots ou de gestes pour se rejoindre ; alors ils rient, sans doute de délivrance.

Curieusement, tout de suite après, nous sommes devenus silencieux. Graves aussi. Et attentifs chacun pour soi au paysage qui nous unissait. Comme tout espace grand et libre, ce qu'il nous inspirait devait être une confiance rêveuse et pourtant inébranlable envers la vie, ce que nous deviendrions, le visage que nous acquerrions avec le temps. Il me revient d'ailleurs maintenant que les instants de pure confiance que j'ai connus dans ma vie ont tous été liés à cette sorte d'imprécision heureuse que nous avons eu le bonheur de connaître, Médéric et moi, du haut de l'étroit plateau aménagé en belvédère au faîte des collines. Et j'imagine que, si nous voyions loin, nous-mêmes aurions pu être aperçus à une grande distance, serait-il venu à l'esprit de gens d'en bas, dans leurs fermes sur le plat de la plaine, de lever les yeux vers les deux silhouettes en évidence au bord de l'escarpement.

Combien de temps sommes-nous restés là, presque immobiles, toujours en selle pour voir encore de plus haut toutes choses et peut-être un peu l'avenir se déroulant à nos yeux ? À la longue, Médéric, quelque peu revenu de la rêverie qui nous avait surpris ensemble, au bord de la plaine, me proposa sur un ton enjoué :

— Ça vous dirait, mamzelle, d'aller voir si les truites sont au rendez-vous ?

J'acquiesçai joyeusement et fis tourner Flora pour le suivre qui prenait déjà les devants en me criant, parce que je disais avoir un peu le vertige, de ne « pas regarder en bas, mamzelle... »

Dans l'étroit vallon où il me mena, au bout de tours, demi-tours et retours sur soi, j'aperçus un rapide filet clair se faufilant en toute hâte sous un grand arbre que la mort avait couché dans l'attitude d'un homme étendu qui boit à même l'eau.

Médéric glissa la main sous le tronc gluant. Il tâta l'eau çà et là. Un rayon de soleil, pénétrant jusqu'à nous, colora en rose nos mains et notre visage. Sur celui de Médéric jaillit au même instant la lumière intérieure d'une joyeuse surexcitation. Là-haut, au balcon de la plaine, je l'avais vu atteint d'un bonheur grave, paisible, dépassant en quelque sorte son âge. Ici, je le voyais en proie à ce que la joie a, dans l'enfance, de si souvent agité et fiévreux.

— Il y en a, mamzelle. Je viens d'en sentir une glisser contre ma main. Tiens, la revoilà ! Elle se laisse prendre. Je l'ai dans la main, mamzelle !

Il criait ses chuchotements ou chuchotait ses cris joyeux — je ne sais trop comment dire — par peur d'effaroucher le poisson, possédé cependant d'une exubérance qu'il avait peine à maîtriser.

— Essayez, mamzelle, essayez, me pria-t-il ardemment.

Avec une certaine répugnance, je mis la main dans l'eau glacée. Un froid intense la gagna. Je crus percevoir au bout des doigts un frôlement et me dis que ce devaient être les herbes du fond de l'eau qui les effleuraient et qu'ainsi s'expliqueraient les sensations décrites par Médéric. Sceptique, c'est ce que je crus un moment encore ! Puis, tout à coup, dans ma main à moitié ouverte, s'insinua une petite créature glissante, douce, ondulante, à coup sûr bien vivante. Qui d'ailleurs ne chercha pas à fuir quand je refermai légèrement la main sur elle. Captive, elle semblait prendre plaisir à se tourner et retourner entre mes doigts. J'entrai dans le même ravissement que Médéric.

— Je ne t'aurais pas cru, dis-je, si je ne l'avais de moi-même éprouvé.

— C'est difficile à croire, me concéda-t-il.

Il était à présent à genoux dans l'herbe au bord de la source, les deux mains dans l'eau. À tout instant, le pétillement de son regard me disait qu'il connaissait à nouveau le plaisir de sentir une sauvage vie confiante au bout de ses doigts. Je fis comme lui. De part en part de la source, les yeux dans les yeux, nous échangions des impressions si ressemblantes qu'elles amenaient sur nos lèvres un même sourire pareillement heureux.

— Vous en avez une, mamzelle ?

— Oui... je pense !

— Elle reste ? Elle se laisse flatter ?

— Mais oui, c'est vrai !

— Laissez-la un peu aller... pour voir si elle va revenir... Est-ce qu'elle revient ?

— Elle revient... mais est-ce la même ?

Il s'assit un moment sur les talons dans la rugueuse herbe froissée, d'un coup de bras rejeta son chapeau en arrière, et me demanda, pour la première fois de sa vie me sembla-t-il, avec un peu de la considération de l'élève pour le maître, si peu éloignés fussent-ils en âge :

— Mamzelle, vous qui avez lu, appris bien des choses, comment vous expliquez-vous que les truites ici n'ont pas peur de nous ?

— Ce serait à toi, dis-je, tellement plus au courant que moi des secrets de la nature, de me l'expliquer.

Il sourit de confusion et prit un ton un peu bourru pour répondre :

— Ah voyons donc, mamzelle, vous y allez un peu fort là, vous !

Nous avons remis nos mains à l'eau. Les truites sont revenues s'y prendre dans un abandon inexplicable.

— C'est un mystère, dit Médéric, glissant du regard et de la voix dans une révérence profonde et, les yeux chargés d'une lente compréhension où une tristesse montante, lointaine, menaçait, à peine encore, le privilège d'être présent à tant de joies à la fois dans le monde, il murmura : c'est partout plein de mystère, vous ne trouvez pas ?

J'inclinai la tête, en signe d'assentiment. Plus tard, je pensai que ce pouvait être le temps du frai qui alanguissait les truites. Ou encore le grand froid de l'eau. Plus tard je devais chercher toutes sortes d'explications raisonnables au phénomène de la source. Mais rien ne peut faire que nous n'ayons connu, Médéric et moi, la plus innocente des joies en croyant apprivoisées, se plaisant en notre compagnie, ces fuyantes petites créatures !

— Nous pourrions en pêcher sans peine pour notre repas, ai-je dit en badinage.

— Ah, mamzelle, ce serait un crime !

— Pourquoi donc ?

— Mais... parce que... ici... elles sont con...fi...antes...

Je commençai à observer qu'employant un mot pour lui chargé d'un sens affectif neuf ou particulièrement grave, il bégayait légèrement, hésitant plutôt, presque douloureusement, craintif tout à coup à l'endroit d'une arme neuve dont il ne connaissait pas bien le maniement.

— Mais nous en pêcherons en bas pour les faire rôtir au poêlon comme tu me l'as promis. Où est la différence ?

Il me considéra avec une vive surprise :

— Mais parce que celles d'en bas ne seront pas en confi... ance avec nous. Elles auront leur chance de se sau...ver. Ce n'est pas la même chose.

— Tu as bien raison. C'est loin en effet d'être la même chose. Et pourtant !

À force de nous attarder, d'abord auprès du curieux amas d'ossements blanchis, ailleurs pour nous reposer et manger une bouchée, plus loin encore pour examiner les fossiles d'une paroi rocheuse, la journée passa sans que nous en ayons eu connaissance.

Ce n'est qu'en rentrant, au crépuscule déjà avancé, le pas de nos montures résonnant haut dans la grand-rue déserte, mais épiés sans doute de toutes les fenêtres, que j'eus le sentiment de nous avoir, par cette promenade, exposés, Médéric et moi, à la malveillance des gens. Il me semblait sentir nous suivre des regards désapprobateurs de chaque maison où on avait retardé d'allumer pour mieux nous distinguer dans la pénombre bleu nuit, car derrière nous, aussitôt que nous étions passés, une à une s'éclairaient les fenêtres. La pure joie qui avait rempli la journée de bord en bord eut le goût d'un soupçon de fiel répandu dans une fine eau claire.

« Qu'ils aillent au diable ! » ai-je pensé tout haut.

Je descendis de ma monture, lui fis une caresse en guise de remerciement, titubai vers mon seuil, rompue de toutes parts, et vis aussitôt partir Médéric qui ramenait Flora avec ménagement, s'étant mis au pas de la jeune bête exténuée. Alors dans cette lueur imprécise où je les vis s'enfoncer, plus troublante que la nuit, j'eus l'impression qu'en un sens je les perdais de vue pour toujours, jamais ne reverrais les deux bêtes se tenant tête contre tête et l'enfant qui les conduisait, en les encourageant, à petits mots aimables se fondant peu à peu dans le mi-obscur.

IV

À part l'encyclopédie, il me faut bien convenir que les livres ne retinrent pas longtemps l'attention de Médéric. Ces volumes lourds à manier, bourrés d'illustrations, de renseignements sur les sujets qui le passionnaient, il les aima à l'exclusion de presque toute autre source d'enseignement. Il y était sans cesse plongé, à la recherche d'une corroboration de ce qu'il avait découvert seul dans la nature ou imaginé. Quelquefois il éprouvait encore si fort le contentement de se voir appuyé par la science qu'il venait, le gros tome ouvert entre les mains, un doigt marquant le passage, me montrer :

— Voyez, mamzelle, cet oiseau dont je vous ai parlé, c'est bien un grand-duc.

Parfois j'entrais dans son jeu, heureuse comme lui de relier directement la connaissance à une rencontre qui m'avait intriguée, à une interrogation qui m'avait été posée dans la journée. Mais je m'efforçais aussi de me montrer sévère, peut-être parce que je sentais que je le pouvais maintenant sans risque de me voir menacée d'un coup de poing; mais peut-être aussi parce que je cherchais à me reprendre d'avoir été plus familière avec lui que je n'aurais dû.

Puis à sonder ses yeux qu'emplissait la candeur quand, par exemple, il m'apportait de nouveau quelque cadeau des champs ou des bois, je perdais mes moyens, désarmée par son côté naïf.

Je le dis un jour à ma logeuse :

— Ce Médéric a beau avoir la taille d'un homme, il est enfant à ne pas le croire.

— Pensez-vous donc cela ? fit-elle, sur un curieux ton incisif, en me portant un regard pénétrant.

C'est peu après cela que Médéric, un beau matin, m'arriva avec une nouvelle qui fit sensation à l'école et au reste dans tout le village.

— Mon père est allé à la ville m'acheter la série complète de l'encyclopédie, m'apprit-il. Douze volumes ! Nous allons passer de bonnes soirées maintenant à la maison.

Je demeurai saisie.

Que le père de Médéric eût l'argent pour acheter la coûteuse série ne faisait aucun doute ; il passait pour un homme très riche. La surprise venait du fait qu'on le considérait inculte, ignorant, grossier de manières. Pourtant Médéric à partir de ce jour ne parla plus de son père avec la moindre hostilité comme au début de l'année, mais sur un ton plutôt déférent.

— Lui, me dit-il, lit surtout ce qui annonce l'avenir, les prédictions, les astres, les signes dans le ciel, et Nostradamus par exemple... Aussi les schismes... les papes divisés... les Borgia...

Je ne pus m'empêcher de sourire tant la nature des rubriques évoquées peignait bien le milieu et jusqu'à un certain point Médéric lui-même.

Pourtant j'étais vaguement inquiète. Son attitude trop confiante maintenant envers son père, les largesses de celui-ci à l'endroit de Médéric, ne me disaient rien de bon. Je demandai à ma logeuse quelle sorte d'homme était Rodrigue Eymard. Elle me fit une histoire surprenante. L'homme, dans sa jeunesse, beau, ensorceleur, déjà riche, avait courtisé et enlevé à ses parents pour l'épouser une jeune fille à moitié indienne. L'idylle n'avait guère duré. Peu après la naissance de Médéric, la jeune femme disparaissait. Les uns disaient que c'était Rodrigue qui l'avait chassée, d'autres qu'elle s'était enfuie de nuit à cheval pour rejoindre la tribu dont elle était issue et qui la protégeait contre les tentatives de son mari pour la reprendre. À plusieurs reprises, elle aurait cherché à ravoir l'enfant, mais sans succès, la justice l'ayant confié à la garde de son père. Quoi qu'il en soit, depuis ce temps Rodrigue Eymard se négligeait, buvait immodérément, donnait des signes de déséquilibre nerveux, parfois luttait pour se reprendre en main, puis glissait de nouveau dans une vie sans retenue, tout en excès. Qu'y avait-il de vrai dans ces rumeurs ? Ma logeuse elle-même convenait qu'elles devaient contenir de l'exagération. Toutefois, ce qui était sûr et certain, m'apprit-elle, c'était que Médéric vivait seul avec son père dans une immense maison appelée le « Château », quoique à peine nettoyée de temps à autre par une femme du voisinage qui voyait un peu aussi à la cuisine et peut-être à d'autres besoins du maître.

La vie de Médéric m'apparaissait sous un jour que je n'aurais jamais soupçonné. Or voici que peu après il me fit cérémonieusement part d'une invitation de son père à prendre chez eux le dîner le dimanche suivant.

Je restai sans voix. Un vague pressentiment de choses désagréables à venir me figea.

— Toi-même, tu y tiens, Médéric ?

Alors il me parut parler sous la dictée sans doute de son père dont l'influence grandissante sur lui m'étonnait de plus en plus et, je dois le dire, m'effrayait. Il me revint à l'esprit que depuis peu il semblait montrer un penchant à faire valoir leur richesse que je n'avais pas remarqué avant et qui n'était pas dans sa vraie nature.

— Nous sommes la seule famille que vous n'avez pas honorée d'une visite, me reprocha-t-il. On pourrait croire qu'il n'y a que les Eymard chez qui vous ne voulez mettre les pieds. Mon père dit que votre refus serait une insulte.

— Tu sais pourtant bien, lui dis-je, que je n'ai été dans aucune maison habitée seulement par des hommes.

Si j'avais pensé m'en tirer de cette façon, j'en fus quitte pour mes frais, Médéric ayant sa réponse toute prête :

— Nous aurons une femme. La voisine que mon père emploie. Et il dit que vous pouvez être assurée qu'elle vous servira un dîner digne des rois.

Je cherchai à me dérober par une autre voie. La ferme Eymard était à plus de trois milles du village. De tous mes élèves, Médéric était celui qui habitait le plus loin, et la route de son côté, l'hiver, était exposée aux grands vents qui y accumulaient des bancs de neige à hauteur d'équipage souvent.

— L'hiver, c'est presque impossible de savoir d'avance si l'on pourra se rendre chez vous.

— Je viendrai vous prendre... mamzelle...

Je cherchai conseil auprès de ma logeuse à la suite de l'invitation de Médéric.

— N'y allez pas ! s'écria-t-elle. Depuis que sa femme l'a quitté, Rodrigue Eymard est comme fou. Par la grâce de Dieu, n'allez pas dans cette maison.

Pour sa part, Médéric me pressait :

— Mon père dit que si le temps se mettait au mauvais vous n'auriez rien à craindre, qu'en ce cas il me laissera prendre la berline pour venir vous chercher.

Il eut l'air si heureux à cette perspective que je lui demandai :

— Cette berline t'enchante à ce point ?

— Mamzelle, fit-il, ça fait deux ans que je la demande à mon père, et pour une fois qu'il est prêt à me laisser faire...

C'est ainsi que je cédai, plutôt à contrecœur, me voyant en quelque sorte contrainte à me mettre du côté de Médéric dans cette histoire maintenant connue de tous où l'on prédisait que je n'irais pas chez les Eymard, ceux-ci se faisant remettre par moi à leur place. Et je me demande si je n'avais pas également souci de défendre mon influence sur Médéric que je sentais menacée par une obscure force vulgaire.

Le dimanche suivant, dès les premières heures, il fut évident que nous allions vers du bien mauvais temps.

— Il n'y a que les Eymard d'assez fous pour se mettre en route par une journée comme celle-ci, ronchonna ma logeuse. Ah, s'ils pouvaient seulement se perdre une bonne fois ceux-là !

J'allais lui reprocher d'être si manifestement contre cette famille que, déjà, devant notre porte, sous la neige qui tombait dru, s'arrêta le plus singulier équipage.

— Bonté du ciel ! repartit ma logeuse. La berline de noces de Rodrigue Eymard qu'il fit construire à Winnipeg par un menuisier réputé ! On ne l'avait pas revue depuis la fuite de Maria. Il faut que ce trigaudeux de Rodrigue médite quelque plan à sa manière pour la ressortir. À votre place, je me méfierais.

— Deviendriez-vous superstitieuse ? lui jetai-je en riant et agrafant à la hâte mon manteau.

Moi, à peine avais-je entrevu, au fond des pans de neige que faisait battre le vent, la prétendue berline, à vrai dire un traîneau haut sur ses patins, à un seul siège, entièrement recouvert du vaste capot de cuir noir abaissé à hauteur de visage, que je ne me possédais plus de joie à l'idée d'affronter la tempête du fond de cette caverne volante.

Médéric en descendit, paraissant plus élancé que de coutume, et je n'en compris la raison que lorsqu'il eut fait quelques pas vers la porte : c'est qu'il était habillé de neuf, dans un long manteau de drap clair à brandebourgs noirs, le col de fourrure assorti au soyeux bonnet qu'il portait haut perché sur le front. Mon vagabond que je n'avais jamais vu qu'en veston à franges et culottes de vacher avait même à la main des gants. J'allais en sourire, malgré moi, lorsque m'arrêta la remarque de ma logeuse :

— Et comme bouquet il l'a habillé en jeune homme pour vous envoyer prendre.

J'avoue que sur le coup je n'y prêtai pas attention, toute prise que j'étais par l'enivrement de la promenade.

Médéric m'ouvrit la portière. À l'intérieur, la berline était encore plus attirante. Une peau d'ours recouvrait le siège rembourré de cuir, au dossier élégamment courbé. Quand j'y fus assise, Médéric me couvrit d'une autre fourrure plus souple, sur laquelle, pour la protéger de l'humidité, il étendit une sorte de tablier de cuir fixé aux deux côtés du siège par des boutons à pression. Sous le bord du capot, de même que sous une visière, tout en étant bien protégé, on pouvait assez commodément voir au dehors. Médéric, ayant pris place à mes côtés, modula une sorte de sifflement mélodieux, et Gaspard se mit en route.

À peine l'étions-nous que, se refermant sur notre abri cahotant, la neige poudrante, les coups de vent, de grandes secousses de partout nous versèrent en plein rêve délirant, une chaloupe portée sur de hautes vagues ! un canot secoué par des rapides ! Et nous nous sommes regardés, Médéric et moi, dans la demi-obscurité de la berline, les yeux luisants de l'heureuse surexcitation de nous voir livrés ensemble à la passion grondante du ciel et de la terre.

V

Mais au sortir des chantantes clameurs, quoi de plus déprimant que la prétentieuse maison où je mis les pieds, accueillie par un gros homme endimanché, par ailleurs vite familier et sentant l'alcool à vingt pas. L'idée que Médéric, fou de liberté tel que je le connaissais, dût vivre dans cette maison me porta à me ranger plus que jamais de son côté.

Le dîner traîna en longueur, servi dans une salle à manger sombre aux meubles lourds, aux velours fanés, par une femme en savates que le maître appelait d'un claquement de doigts et renvoyait aussi cavalièrement, s'attardait-elle un moment à nous écouter, le visage tendu dans l'entrebâillement de la porte.

Il trônait au bout de la table massive, le ventre barré d'une imposante chaîne de montre à l'ancienne, se servant à tout instant d'une carafe de vin mise devant lui dont il avait essayé vingt fois peut-être de nous en faire accepter plus d'un verre à Médéric et à moi.

C'est seulement à ce moment-là d'ailleurs, mes yeux ayant eu à se faire à trop de surprises, que je remarquai les vêtements d'intérieur, également neufs, de Médéric. Le costume à larges rayures claires sur fond bleu marine et épaules rembourrées faisait jeune homme habillé d'après les catalogues des magasins de la ville, lui allant aussi mal que possible. Je ne sais quelle peine j'éprouvai de le voir, lui, toute spontanéité, ainsi déguisé.

Il dut la lire dans mon regard où il cherchait naïvement, je pense, l'assurance d'être bien mis, car tout à coup il fut à la gêne devant moi et moi-même le fus de lui avoir ravi la satisfaction de porter un costume neuf, même s'il était de si mauvais goût. En fait, il n'y avait de tout à son aise, surtout après avoir pris quelques autres verres, que Rodrigue qui bientôt n'arrêta plus de parler, lancé dans une espèce de monologue sans fin.

Que disait-il au juste ? En vérité, je m'évadais le plus possible de cette pièce triste, à la recherche du chemin des collines, seul à m'apparaître vrai et réel au sein de ce décor où tout était faux ; je n'écoutais qu'à demi le discours du père dans lequel il était question du peu de chance qu'il avait eue, lui, de s'instruire, tenant par conséquent plus que tout à faire de son fils un « monsieur... », un « garçon élégant... », un « homme instruit... », tout cela ressemblant si peu à Médéric, tenant si peu compte de ses véritables dons, que j'en venais moi aussi à fuir intérieurement, de lassitude.

Tout à coup, je m'entendis interpellée :

— Vous qu'on dit une excellente institutrice, ayant le tour de faire avancer les enfants, dites-moi bien franchement : ai-je raison, ou est-ce de l'argent et du temps perdus, d'espérer de mon garçon qu'il fasse de bonnes études ? Est-il au moins intelligent ?

Je croisai le regard de Médéric où s'amassait dans le violet sombre de la pupille le signe d'une vieille hostilité prête à renaître. C'est à lui que je fis ma réponse :

— En un sens, Médéric est mon meilleur élève, le plus fidèle, le plus attaché à ce qu'il aime, dans la nature, par exemple...

Rodrigue Eymard donna un grand coup de poing sur la table.

— La nature, la nature ! je m'en moque ! Ce que je veux, c'est de l'instruction. Si Médéric est si doué, pourquoi ne me donne-t-il pas la satisfaction d'être premier de classe ?

— Peut-être parce que le cœur n'y est pas.

Rodrigue Eymard éclata alors d'un rire prodigieusement méprisant et grossier, sans s'expliquer davantage. Je ne savais vraiment plus que penser de cet homme. Par moments, son ton larmoyant était bien celui d'un ivrogne qui cherche à apitoyer sur son sort. Puis je sentais peser sur moi un regard lourd et perspicace. Il me scrutait avec une attention dont je ne percevais pas le sens. De nouveau surprise par son changement de ton, je l'entendais maintenant me donner raison avec une sorte de douceur :

— Bien sûr, il faut que le cœur y soit, comme vous le dites si bien. Mais il y a cœur et cœur. On peut se tromper drôlement dans ces histoires de cœur. Ainsi, moi, je me suis trompé du tout au tout. À l'âge de Médéric, poursuivit-il moitié rêvant, j'aimais l'étude, j'étais doué, je pense. Dieu sait ce qui aurait pu arriver si alors j'avais été guidé par quelqu'un qui aurait pris mon avenir en considération.

J'étais de nouveau sidérée, car, à présent, dans le visage raviné et les yeux appesantis, je croyais apercevoir l'indicible souffrance de retrouver au bout d'une vie ratée le souvenir d'un rêve de jeunesse. Je l'écoutai mieux, prise malgré moi de pitié pour ce pompeux homme souffrant.

— C'est pourquoi, me confia-t-il comme en secret, me tirant par la manche, je tiens tellement à ce que Médéric accomplisse ce que j'ai tant souffert de n'avoir pu atteindre, puis subitement il cria à pleine voix : ou je le briserai, le briserai…

Mais aussitôt il se radoucit et se prit de nouveau à me dévisager, cette fois avec une sorte d'intérêt affectueux qui me remplit de malaise.

— Vous qui avez sur lui tant d'influence, me dit-il, dont il écoute le moindre mot, ne pourriez-vous pas le convaincre de se mettre sérieusement à l'étude ?

— Je fais tout mon possible, monsieur Eymard.

— Tout votre possible ?

Le ton ou peut-être l'expression du visage laissait transpercer une déplaisante arrière-pensée dont j'étais en peine de comprendre vers quoi elle tendait.

— Le possible des maîtresses avant vous, c'était pas grand-chose, je l'admets. Mais vous qui êtes jeune, fine, et, permettez-moi de vous le dire, jolie à ravir, votre possible n'est-il pas irrésistible ?

Médéric et moi, depuis que le discours de son père avait pris ce tour douteux, évitions de nous regarder, mais à ce moment nos yeux ne purent s'empêcher de se chercher dans la peur de voir notre franche camaraderie exposée à la salissure.

Mais Rodrigue Eymard changea encore une fois de sujet et en revint à sa hantise de voir Médéric accomplir ce que lui-même n'avait pu réaliser.

— C'est fort, ce désir, mademoiselle, me dit-il.

Et moi, le croyant encore une fois sur parole, le plaignis de nouveau, tout en lui faisant observer qu'il aurait plus de succès avec Médéric s'il le laissait suivre sa voie à lui, s'instruisant à sa manière, heureux à sa manière.

Tout alourdi qu'il était par le vin, Rodrigue me coula alors sous ses lourdes paupières un regard d'une telle malveillance qu'il me parut sur le coup dégrisé.

— Heureux à sa manière ! Est-ce cela que vous allez lui chanter quand vous partez seule avec lui pour la journée dans les collines ?

Je réussis à me contenir sous l'insulte, m'obligeant à regarder au-delà des rideaux d'une dentelle à lourdes mailles le dehors qui devenait menaçant. Quand j'eus recouvré un peu de calme, je me hasardai à remarquer :

— Le mauvais temps s'aggrave de minute en minute. Je ferais bien de partir maintenant.

De nouveau éclata de rire le maître du logis.

— Mais non, mais non ! La grande tourmente ne se

déchaînera pas avant une heure ou deux encore. Nous avons le temps de passer au salon prendre le café.

Debout, il parut chancelant, chercha l'appui de mon épaule.

— Je ne suis plus bien de ma santé, mademoiselle, en dépit des apparences. Je pourrais partir rapidement pour tout ce qu'on en sait... Bien entendu, c'est Médéric qui hérite de tout et, plus tard, ma future bru si elle est choisie selon mon goût... Voyez-vous, j'aime mon garçon à ma manière, car j'ai pensé même à cela.

En entrant dans le salon, je m'arrêtai de saisissement devant le portrait naïf et cependant prenant d'une jeune femme très belle. Les yeux étaient ceux de Médéric, d'un violet ombreux plein de rêve triste sous les longs cils sombres.

— Ma défunte, expliqua Rodrigue, puis il fut repris de ses accès de rire dont il était impossible de savoir s'ils étaient provoqués par une souffrance inapaisée ou une tenace rancune. En fait, je dis ça par commodité, car au vrai elle n'est pas plus morte que vous et moi, mais c'est tout comme depuis qu'elle nous a quittés, moi et son précieux fils. Pensez : une femme que j'ai prise dans sa tribu, en réserve indienne. Mais déjà métissée sans doute, car de qui aurait-elle pu tenir ces yeux-là, sinon de quelque seigneur maraudeur ? Ils m'envoûtèrent à mon tour au premier regard. Je suis d'ailleurs toujours sous leur envoûtement chaque fois que ce portrait me les rappelle. Chez Médéric, un garçon, c'est tout à fait ridicule, de tels yeux ! Mais chez elle c'était troublant. Et voilà, le croiriez-vous, entre tout ce que j'ai mis à ses pieds à profusion : la maison, et elle m'a coûté des sous, vous pouvez en prendre ma parole, les meubles de prix, des robes commandées à Winnipeg, la berline signée, vous avez vu ? et tout et tout, même des domestiques pour servir mon Indienne, eh bien entre cela et la tribu, c'est la tente, c'est la tribu qu'elle a choisie.

Il désigna Médéric du menton, avec mépris.

— Et lui, je ne serais pas surpris qu'il en fasse autant un jour. Ce qui me donne un peu d'espoir, c'est que vous avez de l'influence sur lui, que vous pourriez en avoir davantage si vous y teniez et, sachez-le, mademoiselle, le père Eymard n'est pas un ingrat.

Appuyé à un meuble, le visage détourné, Médéric, pour ne plus écouter son père parler de lui comme s'il n'eût pas été présent, fuyait des yeux, le visage devenu pâle à me faire peine. Je rapprochai de cet instant l'image que j'avais de lui lorsque du plateau au sommet des collines, contemplant l'infini déroulement paisible sous nos yeux, il n'avait pu s'empêcher, dans la confiance, de me prendre à témoin : « Mamzelle, d'ici, c'est comme si le monde était à nous ! »

Ce qui me fit pourtant le plus mal en ce moment ce fut peut-être de déceler dans le profil de Médéric une certaine ressemblance avec son père.

— Encore que ça ne lui ferait pas tort, continua Rodrigue, d'aller se frotter aux jeunes sauvagesses. Elles sont aguichantes et précoces. Le nigaud apprendrait peut-être qu'il sera bientôt d'âge à plaire. Toutefois, s'il veut bien m'écouter, ce que je lui en dirais, c'est d'attendre qui en vaut la peine. Or, dans nos pauvres campagnes où les femmes sont ignorantes et abruties, qui donc en vaut la peine sinon la petite demoiselle de l'école, qui nous descend, autant dire, quelque beau jour, du ciel. L'ai-je assez attendue, moi, quand j'avais l'âge de cet écervelé, un peu plus vieux peut-être, ma petite maîtresse d'école, que je sortirais, que j'emmènerais aux veillées... mais elle n'est pas venue dans mon temps pour me sauver de mon ignorance, guider ma vie.

Dans son apitoiement sur soi, il eut les yeux mouillés.

— Mon garçon lui a la chance que vous soyez venue, poursuivit-il. Aussi bien je lui dis : ne manque pas ton coup avec la petite demoiselle de l'école. C'est ton salut, mon enfant.

Je me levai et m'adressai à Médéric :

— Partons. Veux-tu me ramener ?

Il sortit en courant, revint au salon revêtu de son manteau et m'apportant le mien qu'il m'aida à enfiler.

Nous accompagnant jusqu'au seuil, tout chancelant, Rodrigue Eymard me reprocha de partir trop tôt, avant que nous ayons pu faire vraiment connaissance. Ses derniers propos se perdirent dans les saccades du vent démonté.

VI

Bien que la tempête fût déchaînée, dont on entendait plus loin le fracas d'eaux passant des barrages ouverts, nous n'eûmes d'abord pas trop à en souffrir sous la protection des arbres de l'allée de la ferme plantés à intervalles rapprochés, qui se trouvaient aussi à nous servir de repères dans l'atmosphère embrouillée. Nous demeurions éloignés l'un de l'autre, chacun à son bout du siège et silencieux. Je jetais de temps à autre un regard sur Médéric et, à d'étranges lueurs se dégageant parfois de la neige gonflée, je lui voyais un visage blessé. À la fin, il murmura à voix à peine intelligible :

— Pardon, mamzelle. Je ne pouvais me douter qu'il vous insulterait sous notre toit. Je vois maintenant pourquoi il cherchait à m'amadouer par toutes sortes de cadeaux. Ah, il a le tour ! Au fond, mamzelle, mon père c'est le diable !

Je tendis la main pour prendre la sienne dans le souci de le réconforter, mais retins mon geste, consciente que je ne l'oserais plus jamais maintenant, que je ne le devais plus ; et du sentiment de cette privation me vint une peine confuse qui semblait s'étendre sur un avenir imprécis, car je ne savais trop qui était à plaindre, ou lui, ou moi, ou tout être qui, en atteignant l'âge adulte, perd une part vive de son âme avec sa spontanéité en partie détruite.

De toute façon, nous atteignions la fin de l'allée d'arbres et allions devoir affronter de plein fouet le vent dans son tumulte assourdissant qui rendrait toute conversation impossible. En fait, à peine commencions-nous à contourner l'allée pour nous engager dans la plaine ouverte que ce fut comme si, d'un affluent encore quelque peu navigable, nous débouchions dans un flot cent fois accru que nous aurions pourtant à remonter à contre-courant. Nous avons ressenti la résistance, la poussée d'une force sauvage, éclatant cependant partout en sons exaltés et en blanches figures de rêves poussées à l'hystérie. Gaspard formait la proue de notre frêle navire. Il fendait la tempête qui se divisait pour couler de chaque côté du traîneau dans une vélocité folle, pleine de sifflements continus et de cris emmêlés. Parfois on aurait dit l'appel de gens en détresse passant invisibles à côté de nous, en sens inverse, sur des radeaux emportés.

Médéric, tout raidi, n'était plus qu'attention à distinguer, parmi les folles silhouettes qu'inventaient le vent et la neige, les humbles poteaux de la ligne téléphonique qui allaient désormais être nos seuls guides. Je vis qu'il serrait la ligne de près, au risque de verser dans le fossé. Alors je me pris à l'aider en guettant de tous mes yeux l'apparition du prochain repère, et si elle nous semblait tarder, plus d'une fois nous avons cru nous être éloignés dans les champs pour nous y perdre à jamais. Puis l'un ou l'autre, dans ce vague qui nous enserrait, entrevoyait la ligne et l'annonçait à voix haute. C'est ainsi, par bribes, que nous avons recommencé à nous parler, sans doute pour nous encourager l'un l'autre à vivre. Alors que nous avions bien plutôt, il me semble, le cœur à mourir.

Bientôt Médéric profita des instants où un poteau nous était visible pour laisser se reposer Gaspard déjà en nage. Le pauvre cheval baissait alors la tête contre le vent et prenait l'allure d'un être complètement rendu. Peu après il prit l'initiative de s'arrêter de lui-même quand émergeait le repère, aussitôt sombrant dans cette attitude d'extrême lassitude qui me faisait le plaindre et devait également peiner Médéric, mais il ne disait mot. Dans ces instants où nous attendions que fût reposé Gaspard et où nous aurions pu nous parler plus aisément, c'est alors pourtant qu'il paraissait le plus figé, enfermé dans un silence qui me faisait me demander s'il couvait l'humiliation de s'être montré quelque peu ridicule dans ses efforts de se vieillir à mes yeux par ses vêtements neufs, ou s'il ne souffrait pas de quelque autre peine bien plus profonde.

Tout à coup, comme s'il n'en pouvait plus, il laissa échapper :

— Maintenant, ça vaudrait mieux que je ne retourne plus à l'école... après... ce que mon père a dit...

De nouveau ma main vola pour prendre la sienne, s'arrêta en chemin. Je me bornai à protester :

— Au contraire, Médéric, plus que jamais tu dois revenir. C'est ta seule vraie échappée !

Sans me répondre, il fit se remettre en marche Gaspard. À peine un peu calmée, la brave créature s'arqua de toutes ses forces, releva courageusement la tête et lutta pour remonter l'impossible courant de neige, de vent, de plaintes et de hurlements. Même cette berline qui avait fait notre délice, à présent tout emplie de paquets de neige comme un mauvais navire, le capot branlant, lourde à traîner, évoquait le naufrage. Médéric me parla, et sa voix pourtant toute proche, déformée sous les coups du vent, ou de l'émotion, me parut étrangère. Je tournai vivement la tête comme vers un inconnu. C'était bien pourtant le même enfant que la veille, quoique d'expression inquiète, désemparée. Il me rappela ce que j'avais ressenti, il n'y avait pas si longtemps, quand je m'étais trouvée coupée de mon séjour naturel, au bord de la vie adulte. J'aurais tout donné pour le rassurer : « Allons, Médéric, ce n'est qu'un pas à franchir. On s'y fait... tu verras... » mais j'en doutais justement et que de cette cassure de l'être, de la séparation d'avec l'enfance, ne restât pas un mal dont on ne guérissait peut-être jamais tout à fait.

C'est au cours des moments où nous étions tous deux si

absorbés par le mystère de notre existence que nous avons sans doute oublié de chercher de l'œil les poteaux qui nous servaient de jalons. Et soudain il n'y eut plus ni ligne téléphonique, ni même apparemment de sol ferme sous la neige en molles collines ; nous voyions Gaspard y plonger jusqu'au poitrail, revenir à grand-peine, retomber.

— Nous ne sommes plus sur la route, dit Médéric.

Il descendit du traîneau, enfonça lui aussi profondément dans la neige, parvint, plié en deux sous les coups du vent, à rejoindre Gaspard contre lequel il s'appuya. Je pense avoir distingué qu'il lui avait passé un bras autour du cou et peut-être pleurait-il, la tête contre la tête de son cheval. Il me semblait voir remonter et s'affaisser ses épaules comme lorsqu'on fait de grands efforts pour retenir des sanglots. Et le cheval lui-même avec de petits mouvements de tête sous le visage enfoui de Médéric paraissait vouloir se faire consolant. Je ne sais pourquoi cette scène au milieu du vent qui se lamentait aussi entra en moi pour toujours. Une haute vague de neige se dressa entre nous, et je les perdis de vue, à peine à quelques pas de moi. De l'obscure blancheur seule émergeait la noire crinière ondulante. Médéric se rapprocha de mon côté du traîneau, pencha la tête à l'intérieur. Je voyais quelque peu luire ses yeux à travers les rafales qui l'enveloppaient. Et sa voix, lorsqu'il me parla, me fit l'effet, pour m'atteindre, d'avoir traversé des années.

— Je crois que nous sommes perdus, mamzelle.

C'est bien là, il me semble, ce qu'il dit. Le ton toutefois signifiait plutôt : « Nous sommes sauvés, mamzelle. » Et je tressaillis comme à une bonne nouvelle.

Puis Médéric retourna auprès de Gaspard. Au chaud, entre les couvertures, je m'abandonnai au rêve de partir de cette vie. Je nous voyais saufs, échappés au mal, à l'hérédité mauvaise, à l'enlaidissement de soi que l'on craint peut-être plus que tout dans la fierté de la jeunesse.

Ce même désir, les tempêtes devaient souvent l'éveiller en

moi, mais jamais autant qu'en cette première fois où j'entendis, au fond des vents hurleurs, m'appeler les anges révoltés. Je nous imaginai, Médéric et moi, tels qu'on nous retrouverait, la tourmente passée, deux pures statues, les cheveux et les cils poudrés de frimas, intacts et beaux. Tout juste aurions-nous peut-être incliné la tête l'un vers l'autre.

Revenu près de moi, Médéric, comme s'il me laissait aujourd'hui le soin de décider pour nous deux, demanda :

— Qu'est-ce qu'on fait, mamzelle ?

Sa docilité à mon égard me toucha infiniment.

— D'après toi, qu'est-ce qu'il faudrait faire ?

Il eut un sourire à moitié triste.

— Couvrir Gaspard.

— Eh bien !

Il prit une de nos couvertures qu'il alla jeter sur le dos du cheval. De ses mains nues, dans lesquelles il soufflait d'abord, il lui frotta le cou, tenta de le réchauffer, lui enleva aussi la neige des yeux. À ses gestes, je comprenais qu'il plaignait Gaspard plus que lui-même, et que c'était peut-être son cheval qu'il voulait d'abord sauver. Et soudain, comme si l'étalon blanc, le premier, retrouvait son jugement, il se remit de lui-même en marche, d'un grand coup arrachant la berline à la neige molle où elle s'était enfoncée. Au passage, Médéric sauta à sa place. Il laissa flotter les rênes, bientôt constata :

— Nous sommes revenus sur la route.

— Comment le sais-tu ?

— Au pas de Gaspard. Ne le sentez-vous pas plus sûr ? Brave bête, il a plus de sens que bien du monde.

Alors passa vaguement à nos yeux la mince silhouette d'un poteau. Et nous sommes partis à rire, rendus à l'incroyable insouciance de notre âge.

— Vous avez eu peur, me taquina Médéric.

— Pas du tout, lui dis-je. Je ne nous ai pas crus perdus pour de bon.

— Ah oui, vous l'avez cru.

Nous glissions au ton de l'amicale familiarité. Je m'en aperçus. Je m'isolai dans le silence. Peu après apparut faiblement une fine ligne noire continue entre ciel et terre.

— Le bois des Beauchamp, me signala Médéric. Nous l'aurons tout proche de la route pour près d'un mille. Ensuite, il y a un bout de chemin à découvert, mais c'est en montant, et la neige ne s'amoncelle pas par là.

Il conclut comme s'il s'en moquait un peu :

— Alors, je crois bien que nous sommes saufs.

Pourquoi donc en fus-je au fond de moi aussi attristée ? Il me vint à l'esprit que nous pourrions vivre longtemps, devenir vieux, Médéric et moi. La vision était vraiment trop invraisemblable. Je la repoussai. Je me laissai aller au fond du siège, à l'abri du vent, Médéric m'ayant dit qu'il pouvait maintenant suffire tout seul à repérer la ligne des arbres, et de dormir, si je me sentais fatiguée.

Je fermai les yeux, mais ce n'était pas par besoin de sommeil. C'était pour mieux rêver à mon aise. Écartée maintenant l'idée de mourir ou même de vieillir, je me plus à m'imaginer parcourant la vie sans prendre d'âge. Je voyagerais, je voyagerais beaucoup, me disais-je, incitée sans doute à ce rêve particulier par le bercement de la berline qui se faisait moins rude, plus régulier. Je visiterais des pays, des villes, des sites incomparables. Je me voyais atteindre un avenir élevé d'où je me retournais avec une certaine commisération vers la gauche petite institutrice de campagne que j'avais été.

J'ouvris les yeux. Je me trouvai à regarder dans l'une des deux lanternes à quatre faces, joliment serties de baguettes de plomb, qui se faisaient pendants de chaque côté du traîneau. La vitre assombrie me renvoya le reflet de mon visage. Il m'apparut flou, gracieux, avec de lointains yeux qui perçaient la neige en tourbillons et des cheveux fous qui moussaient. Je ne pouvais en détacher le regard.

Alors, tout à côté du mien, vint s'inscrire le visage de Médéric qui s'était rapproché sans se rendre compte que le verre captait aussi son image. Il se pencha vers moi, peut-être pour voir si je dormais. Comme je ne bougeais ni ne parlais, il put me croire sommeillante. Les yeux mi-clos, je le surveillai dans la face réfléchissante de la lanterne où passaient, emportés sur des courants de neige, nos deux visages brouillés comme en d'anciennes photos de noces. Puis tout s'éclaircit un moment, et je distinguai qu'était tendu vers moi le visage de Médéric. Une mèche de cheveux, envolée de mon bonnet, gonflée d'air, s'éleva, lui frôla la joue. Immobile, les yeux fixés sur le verre de la lanterne, je le vis ôter son gant et chercher à capter la mèche folle. Il fut près de la saisir au vol, mais s'arrêta, la main en suspens, surpris de lui-même et de son geste. Son regard me révéla un étonnement infini et une tendresse douce comme on n'en voit jamais plus dans l'amour satisfait ni même dans celui qui se reconnaît amour. Médéric semblait aussi flotter sur des îles de neige, et j'avais cette curieuse impression que tout ce que je voyais ne se passait que dans la lanterne, que c'était elle qui inventait ces jeux auxquels nous ne prenions vraiment part ni Médéric ni moi. Mais alors elle me montra le visage de Médéric, défait, puis fermant les yeux dans le premier effarement du cœur qui lui venait.

Je remis promptement la mèche envolée sous mon bonnet de laine. Je me retirai le plus loin possible au bout du siège, ainsi perdant de vue la lanterne aux effets troublants. Je pris un ton léger :

— Nous avons traversé le pire, ne penses-tu pas ? Décidément, nous reverrons le village, l'école, tout ce qui t'embête, mon pauvre Médéric…

Il revint lentement de la confusion qui l'avait surpris et retenait encore son regard à moitié captif et dérouté.

— Pour l'école, ce n'est pas sûr qu'elle me reverra, marmonna-t-il. Ni même le village.

— Et où donc passerais-tu ta vie ?

J'avais pris le parti de le taquiner et de le ramener à ce que j'estimais son naturel. La tempête avait perdu de sa violence. Malgré une visibilité encore très faible, nous n'avions plus à risquer la tête à tout instant au dehors, nous en remettant à Gaspard qui, sûr de la route, trottait ferme. À deux pas de nous passait le vent encore fougueux en ébranlant parfois le capot, mais sans plus vraiment nous incommoder. Maintenant la course n'était plus qu'enivrement. J'y prenais un plaisir extrême, l'apparentant, dès lors, au déroulement de la vie. Oui, ainsi, à présent, m'apparaissait la vie, une longue et triomphante course dans une ivresse sans cesse renouvelée. J'avais oublié le malheureux après-midi dont je sortais tout juste. Je dis à Médéric, emportée par la joie de la promenade :

— Dans cette berline, avec toi et Gaspard, j'irais bien jusqu'au bout du monde.

Il entra dans le jeu, libéré par la gaieté qui m'était revenue :

— On y va ? Jusqu'à Manitou ! Jusqu'à La Rivière !

C'étaient des villages situés à quarante, cinquante milles de distance.

Je renchéris :

— Swan Lake ! Mariapolis !

Il enfila :

— New York ! Philadelphie !

Notre folle entente me ravissait si fort que, percevant tout à coup un faible clignotement de lumière à travers la neige soufflée, je m'écriai tristement :

— Mais non ! Nous arrivons plutôt au village. Quel dommage ! Je referais volontiers le trajet pour le bonheur d'être si bien au chaud dans ta berline au milieu des vents de la fin des temps.

Je n'avais pas fini ma phrase que, se mettant debout, Médéric contraignit Gaspard à tourner sur lui-même.

Cette fois ma main vola pour se poser sur son bras et l'arrêter immédiatement.

— Voyons ! Crois-tu vraiment que j'aurais le cœur à obliger Gaspard de faire et refaire ce trajet ?

— Ah, fit-il, lui faisant de nouveau rebrousser chemin, lui l'aurait, mamzelle, et toute sa tristesse lui revint.

D'un coup nous étions tombés de notre fol enivrement. Je revis la salle à manger pompeuse, le lourd mobilier, les tentures raides, Rodrigue Eymard, le déséquilibré aux petits yeux sournois, nous épiant, son fils et moi.

Peu après nous étions devant la maison où je logeais. Gaspard s'arrêta de lui-même. Médéric restait cependant figé, les yeux abaissés, comme penché sur une accablante pensée. Je lui dis :

— Nous sommes arrivés, Médéric.

Il leva un regard étonné, se hâta de m'ouvrir la portière, vint avec moi jusqu'au seuil. Je l'invitai à entrer se réchauffer. Mais le pas de ma logeuse s'approchant, il commença à s'en aller à reculons, tout embarrassé, disant qu'il n'aimait pas cette femme, ni d'ailleurs personne au village… et que mieux valait repartir avant que Gaspard ne se fût refroidi.

Quand ma logeuse ouvrit, elle me trouva seule sur le pas de la porte au milieu de la neige et elle eut un petit sourire qui en disait long.

VII

Rien ne fut plus jamais comme auparavant entre Médéric et moi. Ses quatorze ans atteints depuis assez longtemps, il continuait à fréquenter l'école. Seulement pourquoi toute cette peine, puisqu'en fait il était de moins en moins présent ? Il avait trouvé dans une étable chaude, à la sortie du village, une stalle pour Gaspard. Il s'y rendait à l'heure du midi le soigner et partager avec lui, dans l'ombre tiède, sa pomme et le pain de son goûter. Il ne s'était jamais véritablement fait d'amis à l'école, plus âgé que la plupart des autres enfants, mais maintenant il s'éloignait davantage de tous et n'avait vraiment plus d'autre compagnon que son cheval. Quand il revenait d'en prendre soin, il rapportait une odeur d'étable, et un jour je ne pus m'empêcher de lui en faire la remarque. Il me jeta un regard de reproche sans toutefois rien oser dire à sa décharge. Mais il n'y avait pas que cela pour m'agacer en lui. Il continuait à porter le complet neuf à larges rayures que je lui avais vu pour la première fois le dimanche où j'avais dîné chez Rodrigue et qui m'avait si franchement déplu. Vêtu de ce complet, il me donnait l'impression d'un grand jeune homme entré à l'école par inadvertance et qui s'attardait sans raison parmi mes petits. Tâchant de faire passer la leçon sous un dehors léger, je lui dis un jour que je l'avais trouvé beaucoup plus à son avantage dans ses vêtements habituels que dans ce costume voyant, trop vieux pour lui, mais c'était inutile, il continua à le porter et je ne savais si c'était pour me défier ou parce que rien ne lui importait plus. Il est vrai qu'au cours de ces quelques semaines il semble que j'eus presque tous les jours des torts à lui reprocher, ou parce que je devenais nerveuse ou parce que lui se montrait de plus en plus agaçant. À peine lui avais-je en effet reproché son habillement trop âgé pour lui que, le voyant étaler ses jambes dans l'allée et se prendre comme au début de l'année au jeu de faire tomber les fillettes, je me fâchai et lui dis que c'était ridicule pour un grand garçon de son âge de se livrer à pareils enfantillages. Cette fois il soutint mon regard avec une expression un peu narquoise, un peu désolée aussi, comme s'il se faisait de la peine pour moi de me voir devenir si changeante. La plupart du temps, toutefois, il se perdait en rêveries moroses. Ses devoirs ne valaient plus rien. Il restait égaré des heures dans une sorte d'inertie pénible, faisant penser à un voyageur au fond d'une plaine sans repères, qui, ne sachant où se diriger, demeure indéfiniment sur place, sans pouvoir se décider à se mettre en marche. Alors mon cœur allait vers lui comme aux meilleurs jours et je cherchais de toutes mes forces à le tirer vers les tendresses qu'il avait eues pour la nature, lui rappelant ceci et cela qu'il avait aimés au point de me les faire aimer. Il se bornait à m'adresser un sourire triste qui semblait sous-entendre que ce genre de bonheur était pour lui perdu. Puis sa voix mua. Un jour qu'il récitait sa leçon à voix haute, elle changea si brusquement que la classe tourna les yeux en tous sens comme pour situer un inconnu parmi nous. Les fillettes comprirent les premières que cette voix était celle de Médéric. Quelques-unes pouffèrent en feignant de se cacher le visage dans leurs mains. Je les aurais giflées. Médéric, dans sa gêne, eut l'air presque hargneux. Il ne consentit plus à lire à voix haute. Il le faisait sur un ton sourd que j'entendais à peine de ma place, car je n'allais plus m'asseoir près de lui au bout de son banc et je ne lui demandais pas de venir à mon pupitre. Ainsi en étais-je venue à le tenir à distance à l'heure où il aurait eu le plus grand besoin d'aide, parce qu'il me décontenançait à pousser si vite sous mes yeux. Il grandissait encore, et son visage, devenu mince à l'extrême, rappelait un lévrier tout en front, les yeux placés haut, regardant toutes choses autour de lui tristement.

Un soir pourtant, la classe terminée, il s'offrit pour le ménage. J'avais observé l'usage d'y faire passer à tour de rôle mes élèves les plus âgés, ayant toutefois exempté Médéric parce qu'il habitait vraiment trop loin et que le moindre retard l'aurait amené à rentrer chez lui presque à la nuit. Mais les jours commençaient à allonger.

— Eh bien oui, dis-je, reste si tu veux, car en effet c'est bien ton tour.

Alors, lui qui avait haï rendre le moindre service d'ordre domestique, même d'aller puiser un seau d'eau, se prit presque joyeusement à balayer le plancher. Pendant qu'assise à mon pupitre je corrigeais des rédactions, je l'entendais aller et venir, déplacer les bancs pour nettoyer en dessous, sans se donner trop de peine il est vrai pour déloger la poussière, mais avec un si évident désir de m'être agréable que soudain j'en fus attendrie. Je crus comprendre qu'il désirait me parler seul à seule, que c'était dans ce but qu'il s'était offert pour le ménage, mais qu'à présent il ne savait comment amorcer la conversation. Je pris le parti de lui faciliter les choses. Crayon en main et tout en me donnant l'air de n'être qu'à moitié disponible, je lui demandai d'un ton qui s'efforçait à la légèreté :

— Avec ton père, ça va mieux maintenant ?

Une grande gêne lui sembla à l'instant ôtée. Il s'avança.

— Ah oui, mamzelle. Il regrette ce qui s'est passé lorsque vous êtes venue. Vous savez, ce n'est pas souvent qu'il boit autant. Il dit que c'était l'émotion de revoir quelqu'un de jeune dans la maison, que, si vous reveniez, jamais plus ne se reproduirait la scène dont vous avez dû garder un mauvais souvenir. Qu'il donnerait tout au monde pour l'effacer par un autre dîner si vous consentiez un de ces jours.

— Mais je croyais ce chapitre clos, Médéric.

Il abaissa les yeux.

— Si vous ne voulez pas revenir chez nous, mon père consentirait quand même à me laisser prendre la berline pour vous promener où vous aimeriez aller, puisque vous l'aimez tant.

— Mais où voudrais-tu que nous allions, Médéric ?

— Peut-être, murmura-t-il à la gêne, sans plus me regarder, au village voisin où il y a du cinéma, toutes sortes de distractions. Père pense que vous devez vous ennuyer, une jeune fille toute seule au village, sans fréquentations, sans personne pour vous sortir.

J'étais sidérée. Médéric, il y a peu, si hautain, si méprisant, me parlait presque en suppliant et, ce qui n'arrangeait rien, le balai en main.

Je lui dis qu'il m'avait bien assez aidée et que je finirais seule de ranger. J'élevai les yeux pour rencontrer les siens et j'y retrouvai sa hauteur naturelle en lutte contre je ne sais quelle disposition à se soumettre à moi qui me peina et en même temps me tourna contre lui.

Je me fis aussi maîtresse d'école que possible :

— Je ne m'ennuie nullement à ma tâche, Médéric. Elle est toute ma vie. Toute ma passion. Elle me suffit complètement.

— Pourtant, eut-il le courage de me rappeler, vous étiez si heureuse de vous promener dans la neige, en liberté ! Vous m'avez dit que vous rebrousseriez chemin pour le plaisir de le refaire dans la tempête.

Je m'en pris à lui :

— Tu n'as pas été dire cela à d'autres au moins ?

Il pencha la tête dans un geste qui était un aveu.

Je dus m'efforcer maintenant de le rassurer tant il paraissait découragé de m'avoir déplu.

— Oh, et puis ça n'a pas tellement d'importance. Seulement, Médéric, sans le juger, car c'est un homme qui a souffert, n'écoute pas ton père en toutes choses.

— Qui alors ? me demanda-t-il.

Je ne savais que répondre.

— Toi-même. Dans ton meilleur...

Ses étranges yeux d'un violet de crépuscule se fixèrent sur moi avec une pathétique bonne volonté qui m'appelait silencieusement à l'aide.

— Vous ne m'aimez plus, mamzelle.

Je le considérai longuement et compris que Médéric, inconscient de ses propres sentiments, entendait par là que je ne lui accordais pas en classe la même attention qu'auparavant.

Alors je lui souris avec amitié.

— Voyons, Médéric, bien sûr que je t'aime comme avant. Aucun élève ne me tient autant à cœur, si tu veux le savoir. Tu réussirais que je serais l'institutrice la plus heureuse du monde. Tu paresses, tu fainéantes, et cela me désole.

— Mais, dit-il en reproche douloureux, vous ne viendriez plus jamais avec moi dans les collines ou même sur la route dans la berline.

— Non, Médéric, ces choses sont finies pour moi. Du reste, je n'en ai plus le temps. À partir de maintenant, j'entends me donner entièrement à ma classe. Fais-en autant si tu veux me faire plaisir.

Je feignis ensuite de me remettre au travail. Lui, campé devant moi, hésita un long moment puis, avec quelques restes de sa vieille bravade, planta son balai en travers de mon pupitre au-dessus des papiers étalés, souleva les épaules dans un mouvement qui se voulait indépendant et regagna son pupitre en sifflotant. Un affaissement de la mince silhouette trahissait pourtant une vulnérabilité si touchante que j'en fus toute triste. Je me dis que j'en étais, parce qu'il était grand pour son âge et que j'étais jeune, à le traiter avec une excessive sévérité, le punissant pour ainsi dire de m'être montrée moi-même imprudente avec lui.

À son pupitre il se prit avec une hâte rageuse à ramasser ses effets, les cahiers, les livres et jusqu'à son dictionnaire dont il était le seul à l'école à posséder en propre son exemplaire. Je me disais : « Il veut m'éprouver ; il fait le fanfaron ; il ne faut pas que j'aie l'air de le prendre au sérieux », et j'affichais une certaine tranquillité alors que mon cœur battait de détresse. Car, tout à coup, à l'idée de le perdre, il me devenait précieux au-delà de ce que j'avais pu imaginer. Son paquet fait et enroulé d'une courroie de cuir, il fit un pas dans l'allée et plongea dans le mien son étrange regard plein d'épuisement et de souveraine solitude.

— Mamzelle, je vois plus ce que je viens faire à l'école. Je vois plus pourquoi je reviendrais.

Des protestations se levèrent dans mon cœur, mille bonnes paroles pour le retenir. Trop jeune, trop maladroite, trop vexée peut-être, je ne sus que lui répondre assez sèchement :

— Si c'est pour ne jamais rien apprendre et ne pas chercher à t'instruire, je ne vois pas en effet pourquoi...

Je n'eus pas le temps d'en dire plus. Avec un retour de la violence de naguère, il pivota sur ses talons et partit à longues enjambées, ses effets d'écolier à la traîne au bout de la courroie, tel un boulet dont il allait à jamais se défaire.

VIII

Qui donc m'en eût persuadée, me prédisant quelques mois plus tôt que ma classe, débarrassée de mon plus difficile élève, me deviendrait l'ennui même ! Dix fois par jour je portais malgré moi les yeux sur le banc vide. Et autant de fois vers la plaine enneigée où l'ondulante crinière noire, seule encore visible dans la blancheur étale, si souvent m'avait signalé l'approche de l'écolier venant à toute bride, et j'avais tressailli en l'apercevant d'une joie quelque peu comparable, je suppose, à celle qu'on éprouve, ayant apprivoisé un animal libre, de le voir accourir à l'appel.

« Passé ces dernières fortes tempêtes de mars, les pires de l'année souvent... il reviendra... » me disais-je, et ensuite « passé ces pluies sans fin et toute cette boue... » comme si vents, pluies, boues et tempêtes eussent empêché Médéric de courir où il lui plaisait.

Je l'imaginais, errant dans la triste et sombre maison ; ou peut-être absorbé dans la lecture d'un tome de l'encyclopédie ; ou encore, oisif, négligé, livré à la seule influence de Rodrigue que je soupçonnais bien capable de travailler maintenant à détacher Médéric de moi, après avoir essayé tout le contraire... Serait-ce cette influence qui l'emporterait à la fin ? Ou celle de la mère et de l'innocence primitive qu'elle avait en partie léguée à son enfant, quoique ce fût peut-être pour son plus grand malheur, le laissant au fond si démuni contre la ruse du monde qu'il n'avait presque pas de chance dès le départ ? Ou serait-ce moi en fin de compte qui gagnerais ? Parfois je l'imaginais encore possible. Je me prenais alors à guetter les lointains de la plaine avec un tel désir d'y voir apparaître le jeune cavalier sur sa monture que je me figurais vraiment les voir s'approcher. Bientôt je m'apercevais que ce que j'avais pris pour cavalier et monture n'était que jeux de lumière et de nuages, ou mouvement du vent sur la plaine.

Le printemps arriva. Il naquit, si l'on peut dire, avec le jour, un beau matin. Depuis des semaines il s'était préparé en sourdine sous des pluies battantes, de lourds nuages, des ciels gris, et voici qu'au premier jour ensoleillé, sous nos yeux il parut éclore.

Jamais encore je n'avais assisté à la naissance du printemps dans la plaine. Naissance plus délicate ne se peut concevoir. Il n'y a pas ici, pour l'annoncer, de ces embâcles et débâcles, grands fracas de glaces libérées telles que j'en avais connu dans ma ville natale. Seulement de discrètes petites voix mouillées entre des herbes anciennes ou en des fossés peu profonds. L'eau y coule en douceur, puisqu'il n'y a ici presque pas de pente : cependant, dans l'étendue silencieuse qui les recueille et s'en réjouit, ces minces chants liquides font plus d'effet que de bruyantes rivières aux eaux gonflées.

Sur la terre enfin exposée, noire d'un horizon à l'autre, apparut le fil ténu des jeunes pousses vertes qui traça la faufilure à peine visible des moissons à venir. Un oiseau chantait quelque part dans l'immensité ayant suspendu tout autre bruit. Le chant semblait venir de tous les points à la fois du pays ouvert, et le regard ne savait de quel côté le repérer. Parfois, on finissait par découvrir le chanteur tout juste au-dessus de soi sur les fils du télégraphe, qui semblait se moquer de vous avoir vu le chercher à travers le ciel entier. Ce printemps délicat, ce printemps gracieux avivait mes regrets. Je ne me consolais pas d'avoir échoué auprès de Médéric. Peu m'importait que ma classe fût docile et aimante, que presque tous les parents à présent fussent contents de moi. Mes tout petits élèves me dévoraient de leurs yeux brillants d'amour, et, mon Dieu, habitée d'un sentiment de défaite, je faisais peu de cas de ce don pourtant sans pareil. Telle était la passion qui m'a tenue au cours de ces années-là, et je sais aujourd'hui que de toutes celles qui nous prennent entiers, pour nous broyer ou façonner, celle-là autant que les autres est exigeante et dominatrice.

J'en étais pourtant à ne plus rien attendre le jour où, accoudée un moment à la fenêtre, je vis onduler au loin la noire crinière du cheval blanc. Ils n'arrivaient pas cette fois-ci à grande vitesse, mais plutôt lentement, comme à contrecœur, mal résignés à revenir. Médéric sauta à bas de Gaspard, l'attacha au mât du drapeau. Il s'avança à longues foulées, et quand je remarquai qu'il avait ses livres sous le bras, je tressaillis d'un mouvement de triomphe. Je retournai pourtant m'asseoir à mon pupitre, me disposant à l'accueillir avec des marques de plaisir tempérées par la dignité de mon rôle. Mon cœur n'en cessait pas moins de se débattre. Ainsi avait réussi ma tactique, Médéric revenait, et, si quelque bien devait en découler pour sa vie, j'en serais quelque peu l'auteur. Je compris à cette minute combien s'appliquait à une classe la parabole de la brebis perdue et retrouvée, et cessai de me révolter contre le sentiment qu'il y eût plus de joie à son endroit que pour le troupeau docile.

Son ombre précéda Médéric sur le seuil et lui-même s'y encadra, un long jeune homme-enfant au regard hanté de qui a cherché son chemin depuis des jours et des jours. Il me fit l'effet, à bout de fatigue, d'entrer ici faute de savoir où aller. Le haut du visage, les yeux voilés de leurs longs cils sombres étaient bien ceux de Médéric tel que je me le rappelais. Mais le dessin de la bouche, les lèvres épaissies — ou était-ce cette ombre au-dessus de la lèvre inférieure ? — changeaient complètement sa physionomie. Le bas du visage accusait maintenant une certaine ressemblance avec Rodrigue Eymard, cependant que les yeux doux, tristes, perdus en une lointaine rêverie, retenaient la candeur héritée peut-être de sa mère. Jamais encore je n'avais vu pareillement enchaînés, jusqu'à ce que l'un l'emporte sur l'autre, l'homme et l'enfant, et je pense avoir éprouvé de la peine pour tous deux qui paraissaient si mal faits pour marcher de compagnie.

Médéric ne salua ni moi ni ses compagnons. Il marcha d'un pas glissant jusqu'à son pupitre, se laissa tomber sur le banc sans trouver place pour ses jambes sous le tiroir. Je voulais l'accueillir d'un mot aimable et n'arrivais pas à ouvrir la bouche dans ma stupeur de voir survenu chez lui un tel changement. Je tâchai de continuer mes cours comme si de rien n'était pour lui donner le temps de se ressaisir. À un moment, passant par l'allée centrale, je m'arrêtai à son pupitre et lui demandai de tâcher de suivre la leçon. Il ouvrit docilement son livre à la page indiquée, mais en resta là, apparemment incapable de fixer son esprit. Ce ne semblait pas toutefois dans les voyages de jadis que partait son imagination, mais seulement pour tourner, tourner, tout à coup liée à elle-même comme à un poteau d'arrêt.

La journée se traîna misérablement. Tout, au dehors, était cependant douceur et caresse. J'avais déjà remarqué en m'en venant à l'école ce matin-là que l'air avait la pureté d'une haleine toute neuve. Partout éclataient des signes de vie renaissante. Un enfant m'avait apporté un bouquet de ces chatons de saule qui n'ont jamais manqué de m'attendrir, sans doute parce que cette jeune vie végétale est la plus proche possible d'une petite vie animale à son commencement. Ne croirait-on pas, en les caressant du doigt, flatter de petits animaux profondément endormis dans leur soyeux duvet. Un autre enfant m'avait fait cadeau des premiers crocus de l'année, cueillis en cours de route au bord des amas de neige fondante. Nous aurions été heureux ensemble sans la présence parmi nous de ce jeune étranger dont la bouche trahissait une amertume d'homme.

D'où vient que l'on a tant de peine à voir transparaître l'homme dans un visage d'enfant alors que c'est la plus belle chose du monde que de voir revenir l'enfant chez l'homme ?

À ma surprise, la classe terminée, les enfants partis, Médéric restait à sa place, apparemment désireux de me parler, mais mis à la gêne devant moi à ne plus savoir s'exprimer. Seuls ses yeux parlaient, sombres et tristes, comme s'ils me traduisaient une plainte de son âme ou quelque accusation imprécise.

Le silence entre nous devenant intenable, je demandai :

— Qu'est-ce qui ne va pas, Médéric ?

Aussitôt se gonfla sa lèvre. Je crus qu'il allait par cette simple question être porté aux larmes, lui à qui je n'avais jamais vu des yeux même un peu humides. L'enfant, par cette émotion incontrôlable, reparaissait si nettement chez Médéric malgré sa tenue de jeune homme, que je me levai et allai m'asseoir près de lui au bout de son banc comme il n'y avait pas si longtemps, et il m'en marqua son plaisir par une ébauche de sourire. Mais ensuite je ne sus que faire et nous sommes restés longuement silencieux, assis de front dans la classe déserte, et je me rappelle avoir pensé que nous ressemblions à deux voyageurs ayant pris place sur une même banquette dans un train qui n'en finissait pas de ne pas partir. Je regardais devant moi mes propres leçons inscrites au tableau, des dessins que j'y avais tracés, tout d'un air faux et distrait, faute de savoir comment agir avec ce trop grand adolescent près de moi que je sentais ému à en trembler légèrement. Enfin je tournai les yeux vers lui et dans les siens qui s'attachaient à moi, je vis naître l'étonnement, l'émerveillement, la souffrance du premier amour qui, tout frais éclos en un cœur humain — la plus fragile, la plus chancelante des jeunes vies — ne sait encore qui il est et frémit de peur, de joie et de désir incompris. Si je n'étais moi-même tout juste passée par là, aurais-je compris de quoi souffrait Médéric et aurais-je si fort tenu à le distraire pour lui épargner de voir plus clair dans son tourment confus ? Mais je n'arrivai pas à le soustraire à la recherche de quelque chose en lui-même de stable, de sûr, d'habituel, tout de lui se dérobant à sa propre connaissance. À la fin, comme s'il n'en pouvait plus d'être mené là où il ne savait, sans comprendre ce qu'il devenait, Médéric dans son désarroi laissa doucement retomber sa tête contre mon épaule. Et j'eus du chagrin à constater que sa solitude infinie l'amenait à rechercher de l'aide de moi qui me devais de l'éloigner pour lui éviter plus de mal encore. Je ne pouvais cependant me décider à l'éveiller de cette torpeur douce où il semblait avoir glissé en s'appuyant à moi. Sa tête, malgré l'abondance des cheveux épais, était légère. Son visage était pâle. Ses deux mains reposaient inertes sur ses genoux. Soudain, il les éleva vers son cœur comme si c'était là que portait la violence, la surprise faite à sa chair.

Il poussa un gémissement faible :

— Ah, mamzelle ! Qu'est-ce donc qui m'arrive ? C'est comme si je vous…

Il étouffait de confusion :

— Ce n'est pas de ma faute. Je ne l'ai pas fait exprès.

Je me permis une bien légère caresse, lissant du doigt, sur le côté de la tête, sa chevelure sombre.

— Personne, Médéric, n'a jamais fait exprès, personne !

Avant qu'il ne vienne à voir trop bien ce qui en était, je pris sa tête entre mes mains pour la poser avec douceur contre le dossier du banc. Je me retirai, allai me rasseoir à mon pupitre. Une mouche que la chaleur du printemps avait réveillée de sa torpeur hivernale volait pesamment en se cognant partout avec un bruit dur qui torturait les nerfs. J'aurais pu gémir également de voir Médéric, les yeux clos, qui respirait à peine. J'avais le sentiment de voir un enfant mourant sous la poussée impitoyable de l'homme qui va en naître. Il me semblait devoir aller coûte que coûte au secours de cette part menacée de la vie de Médéric, et je ne savais comment m'y prendre, je ne savais que faire.

Il entrouvrit les yeux. Il me vit à ma place, retranchée dans ma fonction, les livres, les cahiers formant barrage entre lui et moi. Deux larmes scintillèrent, longtemps retenues au bord des cils touffus. Puis avec des gestes maladroits, Médéric se prit à ramasser ses effets d'écolier, sans colère ni hâte cette fois-ci, plutôt à contrecœur. Il s'interrompit deux ou trois fois pour se prendre à regarder les murs, les tableaux, la rangée d'encyclopédies exposées sur une étagère, la grande carte déroulée exposant des continents : l'Amérique du Nord et l'Amérique du Sud. Puis il fut debout dans l'allée, ne sachant comment prendre congé.

— Ç'a été un bon temps pour moi, commença-t-il avec politesse et juste ce qu'il fallait de distance, mais soudain sa voix se brisa.

— Pourquoi parles-tu ainsi, Médéric ? Qu'est-ce qui t'empêche de revenir ? Tu auras toujours ta place ici.

Il hocha la tête tristement, faisant signe qu'il l'avait perdue par sa faute en un sens, quoique non par exprès comme il m'avait dit.

— Mais, mon Dieu, que vas-tu devenir Médéric ?

Il haussa les épaules, sans intérêt.

— Ici ou ailleurs !

— Voyons, écoute !

Il se retourna vers moi, les yeux tout à coup assombris.

— Qu'est-ce que ça peut vous faire à la fin ?

Après un long moment, je murmurai dans son dos, comme il s'éloignait :

— Eh bien, selon ce que tu deviendras, une peine infinie, ou une grande joie. C'est ainsi, je ne peux me désolidariser de toi.

Lentement il se tourna de nouveau vers moi, puis, ne trouvant rien à dire, continua à s'en aller à pas glissants. Je le poursuivis d'un reproche qui me paraissait pouvoir encore l'atteindre :

— Tu dis avoir du sentiment pour moi, et pourtant ce sentiment ne te hausse même pas à tenter de réaliser l'espoir que j'ai mis en toi.

Il fit face violemment cette fois, et il y avait du Rodrigue Eymard dans sa mâchoire avancée.

— À la fin, qu'est-ce qu'il vous faut donc encore ?

Je lui donnai le temps de se calmer, attendis un instant et dis comme pour moi-même :

— Ce serait de retrouver, avant de nous quitter — si nous devons nous quitter — mon compagnon des collines. Le reverrai-je jamais, Médéric ?

Il releva la tête, me montra des yeux soudain remplis d'une peine débordante mêlée à du ressentiment et à une pauvre tendresse navrée, qu'il n'arrivait plus à cacher.

Puis il s'enfuit de l'école, au pas de course, comme un enfant chassé.

IX

Ce ne fut pas long que, déjà, nous arrivions à la fin de l'année scolaire. Médéric n'était toujours pas revenu depuis cette fiévreuse journée de printemps qui l'avait éveillé si brusquement aux appels de la nature. Je le plaignais profondément et trouvais sage malgré tout qu'il se tienne au loin. Pourtant je ne désirais rien tant que de le revoir avant mon départ. Car je me voyais offrir un poste en ville et j'allais partir pour de bon à la fin de juin. Nous allions avoir une petite fête à l'école pour marquer l'événement en même temps que la clôture de l'année. Sûrement, me disais-je, Médéric l'aura appris et viendra du moins me faire ses adieux.

J'étais contente de ce poste important obtenu en dépit de mon extrême jeunesse, cependant, je m'en rendais compte, j'allais quitter ici une expérience unique dans ma vie, jamais plus sans doute je ne connaîtrais l'exaltation profonde de l'engagement qui m'avait liée si entièrement à ce village au seuil des espaces à peine touchés. Si j'avais encore énormément à découvrir, à prendre devant moi, je n'étais pas sans comprendre qu'il y avait déjà derrière moi de l'irrémédiablement perdu, et que si la vie donne d'une main, elle reprend de l'autre. Mon sentiment de triomphe en était quelque peu assombri. J'avais pensé jusqu'ici que l'avenir était une constante acquisition. Je n'avais pas encore très bien vu que, pour avancer d'un pas dans la voie de l'accomplissement ou de la simple réussite, on s'arrache chaque fois à quelque bien peut-être encore plus précieux.

La fête eut lieu, simple et touchante. Les enfants d'eux-mêmes avaient songé à décorer l'école de feuilles et de fleurs. Les parents envoyèrent des friandises et des gâteaux. Une mère, à l'heure dite, survint avec un énorme panier contenant tasses et soucoupes, une autre apporta une cruche de café, enveloppée de serviettes épaisses pour le garder au chaud. La Commission scolaire était représentée. Le forgeron du village, qui en était le président, tournant et retournant ses mains abîmées par l'enclume, prononça un petit discours peut-être préparé, mais il eut l'air à l'instant de lui venir aux lèvres. Il disait que l'enseignement personnifié par la jeunesse avait peu souvent trouvé le chemin de leur village, pauvre, trop à l'écart, qu'il leur était arrivé bien plus qu'à leur tour des maîtresses âgées, ayant sans doute leur valeur, mais parfois trop sévères ou déjà accablées, et que, pour une fois qu'était venue ici une « jeunette », il fallait lui en savoir gré, car la jeunesse laissait du moins derrière elle, presque toujours, une étincelle. Je l'écoutais, pour ma part, transie, l'âme en détresse, pensant bien plutôt à mes maladresses sans nom qu'à cette étincelle que j'étais censée avoir transmise à chacun. Mes enfants, eux, se laissèrent aller à me parler encore plus droit de leur cœur. Une petite, en un élan spontané, vint se pendre à mon cou, en pleurant :

— Maintenant que vous partez, qu'est-ce qu'on va devenir, nous autres !

— Mais voyons, dis-je en embrassant ma petite élève, il viendra ici une autre demoiselle que vous aimerez peut-être encore mieux.

— Ah, fit-elle en grand reproche, comme si j'avais profané le sentiment d'exclusivité que contient tout amour, en voilà une chose à dire !

Bien sûr, j'étais contente de laisser derrière moi des regrets et du chagrin. D'ailleurs nulle part, après, dans ma vie, je n'en ai laissé autant. C'était comme si ce lieu du monde devait m'être celui de la plus déchirante solidarité. En me penchant pour embrasser la petite qui pleurait, j'avais dû reconnaître que je cherchais auprès d'elle à me consoler de ne pas avoir à consoler le chagrin d'un autre enfant. Toute la journée, même aux moments où j'étais le plus entourée, peut-être surtout à ces moments-là, j'avais guetté au loin de la plaine, à présent verdoyante, l'apparition d'un jeune cavalier arrivant à toute bride. Je me disais, pour ne pas avoir à blâmer Médéric, que sûrement c'était son père qui le retenait, le dressait contre moi maintenant.

Le temps vint de nous séparer pour toujours, moi et ces enfants que j'avais tenus près de mon âme comme s'ils eussent été les miens. Mais qu'est-ce que je dis là ! Ils étaient à moi et le seraient même quand j'aurais oublié leurs noms et leurs visages, part de moi-même autant que je le serais d'eux-mêmes, en vertu de la plus mystérieuse force de possession qui existe et dépasse parfois le lien du sang. Ma vie allait-elle être cet arrachement continuel pour conduire, à la fin, à quel attachement donc qui durerait ?

Je les embrassai, petits et grands, et même des parents qu'emportait l'émotion de l'heure. Une mère, après m'avoir remerciée du progrès accompli par ses enfants, me félicita ensuite d'avoir su « habilement me débarrasser » de Médéric Eymard, avant qu'il ne devînt « la mauvaise pomme qui pourrit le panier entier ». Je la considérai avec une telle désapprobation qu'elle se mit à son tour à me dévisager avec une expression soupçonneuse, prête à reprendre, si elle l'avait pu, les compliments qu'elle venait de m'adresser. Et c'est vraiment tout ce qui fut dit ce jour-là à propos de Médéric. On l'eût dit enseveli de son vivant dans le plus profond oubli.

Je restai seule. Je m'assis pour la dernière fois à mon pupitre. Je contemplai les murs, les tableaux, la place de Médéric et, au-delà des fenêtres, les lointains sans fin. Puis, je quittai les lieux.

Je fermai à clé ma petite école de village. En passant je laissai la clé chez le secrétaire de la Commission scolaire. Il me vit des larmes aux yeux. Il s'en offusqua, on aurait dit : « Êtes-vous folle de regretter un trou comme celui-ci quand vous avez la chance d'aller vers un bon poste, en ville, parmi des gens civilisés ? D'ailleurs, une ou deux autres années encore avec nous, et vous auriez commencé à nous ressembler. La ferveur, le feu, ce ne sont pas des choses qui durent. La vie a vite fait de les étouffer comme on étouffe un feu de prairie. »

Un feu de prairie, serait-ce donc tout ce que j'aurais été ?

Le lendemain, quelques enfants furent à la gare pour me redire leurs adieux. J'en eus le cœur réconforté et pourtant, en un sens, davantage affligé, car, au premier coup d'œil, je vis que Médéric n'en était pas. Je me penchai hors du train qui s'ébranlait. Je vis ces petites silhouettes fragiles, si menues contre le ciel de là-bas, m'adresser de grands signes, plus grands qu'eux, comme à quelqu'un qui s'éloigne du rivage, et eux, sur le quai de l'infini, les frêles enfants, s'amenuisaient à vue d'œil. Il me sembla les abandonner. Que se refermaient déjà sur eux, vastes comme ils étaient, ces silencieux et mornes espaces accablants, pour couper de tout mes pauvres enfants esseulés. Il faut sans doute avoir été une petite maîtresse d'école dans un de ces villages moitié vivants de la plaine pour comprendre ce que j'éprouvais, le sentiment d'une incroyable emprise sur les enfants, l'enivrante assurance de laisser dans leurs vies un souvenir que rien ne pourra effacer, mais aussi le déchirement de les quitter, ce nœud si fort de chagrin qu'il me paraissait impossible de le sentir jamais se dénouer pour me laisser enfin respirer. Attentive à ces petites silhouettes déjà presque indistinctes, je n'en songeai pas moins tout à coup à un autre enfant, morose celui-là, arrêté peut-être quelque part dans la plaine pour assister du haut d'une butte au passage du train qui m'emportait, et s'en réjouissant. Alors ma joie d'avoir été aimée de ma classe n'eut presque plus de prix à mes yeux.

J'imagine que jusqu'à la fin j'avais espéré un mot, un geste de Médéric, m'assurant qu'il ne s'était pas si facilement libéré de l'emprise que j'avais eue sur lui.

Presque aussitôt après avoir pris un certain élan le train atteignit l'extrémité du village et y stoppa. Là se joignait à la voie principale la courte ligne latérale construite à la seule intention du village voisin de ce côté-là, qui était tangent au chemin de fer. Le chef de train descendit, prit dans une cabane à outils une tige d'acier à bout recourbé et s'en servit pour faire le raccordement avec la ligne secondaire, puis replaça l'outil, remonta, et nous voilà repartis, nous en allant en marche arrière vers le village voisin qui n'avait jamais pardonné au CN d'être ainsi abordé par le wagon de queue, considérant l'affront si grave qu'il avait adressé pétition sur pétition pour obtenir, comme tout le monde, de voir arriver son train tête la première. J'avais ri intérieurement et même tout fort chaque fois que je m'étais trouvée en route vers ce village si dépité, mais cette fois je n'eus même pas envie de sourire.

Nous ne fûmes là-bas que trois ou quatre minutes, le temps de prendre un passager et quelques colis, puis nous revenions, cette fois de front. Je ne regardais plus que d'un œil ennuyé la rase campagne pourtant bien attirante avec ces innombrables petites fleurs de toutes teintes qui, vers la fin de juin, font de ce pays, en d'autres temps ordinaire, l'un des plus délicatement peints du monde. Mes pensées étaient ailleurs. Et soudain je fus assaillie par le souvenir que cette route de terre que nous longions, parallèle au rail, était celle même que Médéric et moi avions parcourue en berline à travers les vents déchaînés. Elle n'avait rien que de bien tranquille aujourd'hui, pourtant elle était encore pour moi comme toute pénétrée des sifflements et des accents passionnés de cette nuit impétueuse. Je retrouvai le Médéric de ce soir-là au visage tendu, étonné, émerveillé, tel que me l'avait révélé le verre de la lanterne. Maintenant, agitée par les mouvements du train, l'image me précédait, inscrite sur la toile de fond des humbles fleurs dont étaient parsemés les champs de jeune blé ou d'avoine. Et quoiqu'il n'eût sans doute jamais été dans mon intention d'encourager l'amour naissant de Médéric, je saisis à cet instant que j'aurais grand chagrin de le savoir tout à fait mort. Mais qu'est-ce donc à la fin que je désirais sinon d'être adorée à distance comme une bonne étoile qui guide à travers la vie — enfant que j'étais moi-même !

Enfin, nous étions de retour à la jonction avec la ligne principale. Le chef de train descendit, prit dans la cabane l'outil de raccordement. Et c'est alors, levant les yeux pour une dernière fois sur les lieux, que j'aperçus, venant à fond de train du lointain de la plaine, Médéric à demi couché sur sa monture, le grand chapeau rejeté en arrière et lui dansant sur la nuque. L'enfant, vêtu exactement comme au premier jour où je l'avais vu, le cheval blanc à la noire crinière ondulante, le vaste pays vide tout autour, voici que se composait pour s'imprimer en mon esprit, presque identique à celle de l'arrivée à l'école, la dernière image que j'aurais de Médéric.

Déjà le chef de train avait raccordé le rail. Il rangea son outil, ferma la porte de la cabane. Il adressa le signal du départ au mécanicien qui se tenait la tête hors de la cabine de la locomotive pour prendre l'air. Il sauta en queue de train. Le petit convoi se remit en marche. Médéric arrivait. Je l'assistai en imagination à cœur éperdu pour qu'il nous gagnât de vitesse. Alors je le vis obliquer pour couper une courbe qu'avait à décrire le convoi. Sur le devant de la selle, il me semblait distinguer quelque objet qu'il protégeait de la main et que je crus, je ne sais pourquoi, m'être destiné. Médéric réussit à nous devancer. Quand le train eut fini de contourner la courbe, je le vis qui nous attendait du haut d'une faible butte. Il y avait derrière lui une immensité de firmament telle que je n'en ai jamais vu autant nulle part ailleurs. Médéric se mit à me chercher avidement des yeux. Dans ce temps-là, en train, quand c'était l'été, on voyageait toutes fenêtres ouvertes. Médéric eut vite repéré mon visage à moitié au dehors. Il éleva haut dans l'air ce qu'il tenait à la main, le fit tournoyer deux ou trois fois pour lui imprimer un élan, puis d'un geste sûr me le lança par la fenêtre droit sur les genoux. C'était un énorme bouquet des champs, léger pourtant tel un papillon, à peine se tenant ensemble dans sa grâce éparpillée, néanmoins il atterrit sur moi sans se défaire, s'ouvrant seulement un peu pour me révéler des corolles fraîches encore de leur rosée. Jamais je n'avais vu réunies autant de petites fleurs de la campagne. Il y en avait sans doute des champs d'alentour, mais d'autres comme il ne devait s'en trouver que cachées au fond de retraites insoupçonnées, telles ces habénaires des bords des ruisseaux tout au long de l'été recouverts d'ombre. J'imaginai Médéric depuis tôt le matin cherchant dans les sous-bois, en terrain sec, en terrain mouillé, et jusqu'aux premières pentes des collines, afin que ne manque à son offrande la moindre fleur de la tendre saison.

Nos regards se croisèrent. Sous le chapeau cabossé, le visage me parut attentif, grave et aimant comme au jour — vieux d'un siècle ! — où il m'avait demandé à propos des truites de l'eau glacée se laissant prendre et caresser : « C'est un mystère, mamzelle ? »

Mes lèvres formèrent silencieusement, à son intention, le seul mot qui me venait à l'âme : « Ah ! Médéric ! Médéric ! »

Il leva la main à bout de bras, haut dans le ciel clair, en un geste qui semblait pour maintenant et pour toujours. Gaspard salua à sa manière de deux grands coups de tête impatients. La prochaine courbe les arracha à jamais à ma vue.

Je portai les yeux sur le bouquet reposant sur mes genoux. Une souple lanière d'herbe l'entourait, nouée en ruban qui l'empêchait pour un instant encore de se défaire. Je le mis contre ma joue. Il embaumait délicatement. Il disait le jeune été fragile, à peine est-il né qu'il commence à en mourir.

Chronologie

22 mars 1909

Rue Deschambault, à Saint-Boniface (Manitoba), naissance de Marie Rose Emma Gabrielle Roy, fille cadette de Léon Roy (1850-1929) et Mélina Landry (1867-1943).

1915-1928

Éducation primaire et secondaire à l'Académie Saint-Joseph de Saint-Boniface.

1928-1929

Formation pédagogique au Winnipeg Normal Institute. Au printemps 1929, Gabrielle Roy enseigne comme suppléante dans le village métis de Marchand, à quelque quatre-vingts kilomètres au sud-est de Winnipeg.

1929-1930

Elle occupe son premier poste régulier d'institutrice à Cardinal, dans la région de la Montagne Pembina, où habite une grande partie de la famille de sa mère, les Landry. Sa classe comprend des élèves de tous les niveaux du cours primaire et dont l'âge varie de cinq à quinze ans. Parmi eux, quelques-uns portent des noms qui reviendront dans *Ces enfants de ma vie,* comme Badiou, Du Pasquier, Lachapelle, Toutant, Cenerini (« Cellini »).

1930-1937

Gabrielle Roy est maîtresse de première année à l'Institut Provencher de Saint-Boniface, une école de garçons dirigée par les Maristes et dont le principal est le frère Joseph Fink. Elle est la titulaire de l'une des « *receiving classes* » de première année, destinée aux enfants non francophones, à qui elle enseigne uniquement en anglais. Là encore, les listes de ses élèves contiennent des prénoms ou des noms que l'on retrouvera dans *Ces enfants de ma vie*: Vincento (Rinella), Clare (Atkins), William et Walter Demetrioff, Tony Tascona, Nikolaï (Susick). Quant à ses collègues enseignantes, elles s'appellent Anna (Marion), Gertrude (Kelly), Denise (Rocan), Léonie (Guyot). Dans ses temps libres, elle fait du théâtre avec la troupe du Cercle Molière et celle du Winnipeg Little Theatre, et rédige quelques textes qui seront publiés dans divers périodiques.

1937

Pendant l'été, elle occupe un poste temporaire d'institutrice dans la région dite de La Petite-Poule-d'Eau *(Waterhen District)*, à environ cinq cents kilomètres au nord de Winnipeg.

1937-1939

Séjour en Angleterre et en France ; études d'art dramatique ; voyages ; articles publiés dans *Je suis partout* (Paris) et dans des journaux manitobains.

1939-1945

De retour d'Europe, Gabrielle Roy s'établit au Québec et vit de la vente de ses textes à différents périodiques montréalais, notamment *Le Bulletin des agriculteurs*, auquel elle donne de grandes séries de reportages ; parallèlement, elle entreprend la rédaction de *Bonheur d'occasion*. Devant beaucoup voyager pour la préparation de ses articles, elle vit d'abord à Montréal, puis à Rawdon, et fait de longs séjours estivaux à Port-Daniel, en Gaspésie.

1945

En juin, publication, à Montréal, de *Bonheur d'occasion.*

1947

La traduction anglaise de *Bonheur d'occasion (The Tin Flute)* est choisie comme livre du mois de mai par la Literary Guild of America (New York) ; en juin, Universal Pictures (Hollywood) acquiert les droits cinématographiques ; en décembre, l'édition parisienne du roman obtient le prix Femina. Entre-temps, Gabrielle Roy a épousé le docteur Marcel Carbotte en août et a été reçue à la Société royale du Canada en septembre.

1947-1950

Gabrielle Roy et son mari passent trois ans en France ; ils vivent quelques mois à Paris, puis s'installent dans une pension bourgeoise de Saint-Germain-en-Laye ; Gabrielle fait des séjours en Bretagne, en Suisse et en Angleterre.

1950

Parution, à Montréal, de *La Petite Poule d'Eau* ; l'année suivante, le livre est publié à Paris et la traduction anglaise *(Where Nests the Water Hen)* paraît à New York.

1950-1952

De retour de France, Gabrielle Roy et son mari s'installent d'abord à LaSalle, dans la banlieue montréalaise, puis à Québec, où ils habiteront jusqu'à la fin de leur vie.

1954

Publication d'*Alexandre Chenevert* à Montréal et à Paris ; l'année suivante, la traduction anglaise paraît sous le titre *The Cashier.*

1955

Publication, à Paris puis à Montréal, de *Rue Deschambault,* dont la traduction anglaise *(Street of Riches)* paraîtra en 1956 et obtiendra le Prix du Gouverneur général du Canada.

1956

Prix Duvernay de la Société Saint-Jean-Baptiste de Montréal.

1957

Gabrielle Roy fait l'acquisition d'une propriété à Petite-Rivière-Saint-François, où elle passera désormais tous ses étés.

1961

Voyage en Ungava, puis en Grèce avec son mari ; à l'automne, publication à Montréal de *La Montagne secrète,* dont l'édition parisienne et la traduction anglaise *(The Hidden Mountain)* paraîtront l'année suivante.

1964

Pendant l'hiver, séjour en Arizona, où Gabrielle Roy assiste à la mort de sa sœur Anna.

1966

Parution de *La Route d'Altamont* et de sa traduction anglaise *(The Road Past Altamont).*

1967

En juillet, Gabrielle Roy est faite compagnon de l'Ordre du Canada.

1968

Doctorat honorifique de l'Université Laval.

1970

En mars, voyage à Saint-Boniface auprès de sa sœur Bernadette mourante. À l'automne, publication de *La Rivière sans repos* et de sa traduction anglaise *(Windflower)*.

1971

Prix Athanase-David du gouvernement du Québec.

1972

Publication de *Cet été qui chantait*, dont la traduction anglaise *(Enchanted Summer)*, parue en 1976, obtiendra l'un des prix du Conseil des Arts du Canada pour la traduction.

1975

Parution d'*Un jardin au bout du monde*, dont la traduction anglaise *(Garden in the Wind)* sera publiée deux ans plus tard.

1976

Au printemps, publication d'un album pour enfants, *Ma vache Bossie*. Réfugiée comme d'habitude à Petite-Rivière-Saint-François, Gabrielle Roy consacre son été à l'achèvement d'un nouveau livre commencé un ou deux ans plus tôt et qui va devenir *Ces enfants de ma vie*, dont le manuscrit final sera prêt en novembre.

1977

En septembre, publication de *Ces enfants de ma vie*, qui obtiendra le printemps suivant le Prix du Gouverneur général du Canada.

1978

Prix Molson du Conseil des Arts du Canada; parution de *Fragiles Lumières de la terre*, dont la traduction anglaise *(The Fragile Lights of Earth)* sera publiée en 1982.

1979

À l'hiver, sortie à Toronto de *Children of My Heart*, la traduction anglaise de *Ces enfants de ma vie.* À l'automne, publication d'un second album pour enfants, *Courte-Queue*, qui obtiendra le printemps suivant le Prix de littérature de jeunesse du Conseil des Arts du Canada et dont la traduction anglaise *(Cliptail)* paraîtra en 1980.

1982

Publication de *De quoi t'ennuies-tu, Éveline?*

13 juillet 1983

Gabrielle Roy meurt d'un infarctus, à l'Hôtel-Dieu de Québec. Son autobiographie, *La Détresse et l'Enchantement*, sera publiée l'année suivante.

Écrits de Gabrielle Roy

Œuvres

Bonheur d'occasion, roman ; première édition : Montréal, Éditions Pascal, 1945. Éditions courantes : Montréal, Boréal, 2009, volume I de l'« Édition du centenaire » des *Œuvres complètes* de Gabrielle Roy ; Montréal, Boréal, 2009, collection « Boréal compact » (n° 50).

La Petite Poule d'Eau, roman ; première édition : Montréal, Beauchemin, 1950. Éditions courantes : Montréal, Boréal, 2009, volume II de l'« Édition du centenaire » des *Œuvres complètes* de Gabrielle Roy ; Montréal, Boréal, 2012, collection « Boréal compact » (n° 48).

Alexandre Chenevert, roman ; première édition : Montréal, Beauchemin, 1954. Éditions courantes : Montréal, Boréal, 2010, volume III de l'« Édition du centenaire » des *Œuvres complètes* de Gabrielle Roy ; Montréal, Boréal, 2013, collection « Boréal compact » (n° 62).

Rue Deschambault, roman ; première édition : Montréal, Beauchemin, 1955. Éditions courantes : Montréal, Boréal, 2010, volume IV de l'« Édition du centenaire » des *Œuvres complètes* de Gabrielle Roy ; Montréal, Boréal, 2010, collection « Boréal compact » (n° 46).

La Montagne secrète, roman ; première édition : Montréal, Beauchemin, 1961. Éditions courantes : Montréal, Boréal, 2011, volume V de l'« Édition du centenaire » des *Œuvres complètes* de Gabrielle Roy ; Montréal, Boréal, 2011, collection « Boréal compact » (n° 53).

La Route d'Altamont, roman ; première édition : Montréal, HMH, 1966. Éditions courantes : Montréal, Boréal, 2011, volume VI de l'« Édition du centenaire » des *Œuvres complètes* de Gabrielle Roy [suivi de *De quoi t'ennuies-tu, Éveline?*] ; Montréal, Boréal, 2014, collection « Boréal compact » (n° 47).

La Rivière sans repos, roman précédé de « Trois nouvelles esquimaudes » ; première édition : Montréal, Beauchemin, 1970. Éditions courantes : Montréal, Boréal, 2011, volume VII de l'« Édition du centenaire » des *Œuvres complètes* de Gabrielle Roy ; Montréal, Boréal, 1995, collection « Boréal compact » (n° 63).

Cet été qui chantait, récits ; première édition : Québec, Éditions françaises, 1972. Éditions courantes : Montréal, Boréal, 2012, volume VIII de l'« Édition du centenaire » des *Œuvres complètes* de Gabrielle Roy [suivi de deux contes pour enfants] ; Montréal, Boréal, 1993, collection « Boréal compact » (n° 45).

Un jardin au bout du monde, nouvelles ; première édition : Montréal, Beauchemin, 1975. Éditions courantes : Montréal, Boréal, 2012, volume IX de l'« Édition du centenaire » des *Œuvres complètes* de Gabrielle Roy ; Montréal, Boréal, 2012, collection « Boréal compact » (n° 54).

Ces enfants de ma vie, roman ; première édition : Montréal, Stanké, 1977. Éditions courantes : Montréal, Boréal, 2012, volume X de l'« Édition du centenaire » des *Œuvres complètes* de Gabrielle Roy ; Montréal, Boréal, 2013, collection « Boréal compact » (n° 49).

Fragiles Lumières de la terre, écrits divers ; première édition : Montréal, Quinze, 1978. Éditions courantes : Montréal, Boréal, 2013, volume XI de l'« Édition du centenaire » des *Œuvres complètes* de Gabrielle Roy ; Montréal, Boréal, 1996, collection « Boréal compact » (n° 77). [Comprend « Peuples du Canada », « Le Manitoba », « Paysages de France », « Mon héritage du Manitoba », « Retour à Saint-Henri », « Comment j'ai reçu le Femina », « Mémoire et création », « Terre des hommes, le thème raconté ».]

De quoi t'ennuies-tu, Éveline?, récit ; première édition : Montréal, Éditions du Sentier, 1982. Éditions courantes : Montréal, Boréal, 2011, volume VI de l'« Édition du centenaire » des *Œuvres complètes* de Gabrielle Roy [précédé de *La Route d'Altamont*] ; Montréal, Boréal, 2016, collection « Boréal compact » (n° 8) [suivi de *Ély! Ély! Ély!*].

La Détresse et l'Enchantement, autobiographie ; première édition : Montréal, Boréal, 1984. Éditions courantes : Montréal, Boréal, 2013, volume XII de l'« Édition du centenaire » des *Œuvres complètes* de Gabrielle Roy [suivi de *Le Temps qui m'a manqué*] ; Montréal, Boréal, 2014, collection « Boréal compact » (nº 7).

Le Temps qui m'a manqué, autobiographie ; première édition, préparée par Dominique Fortier, François Ricard et Jane Everett : Montréal, Boréal, 1997. Éditions courantes : Montréal, Boréal, 2013, volume XII de l'« Édition du centenaire » des *Œuvres complètes* de Gabrielle Roy [précédé de *La Détresse et l'Enchantement*] ; Montréal, Boréal, 2015, collection « Boréal compact » (nº 100).

Contes pour enfants, Montréal, Boréal, 1998. [Comprend *Ma vache Bossie, Courte-Queue, L'Espagnole et la Pékinoise* et *L'Empereur des bois*]. Premières éditions : Montréal, Leméac, 1976 ; Montréal, Stanké, 1979 ; Montréal, Boréal, 1986.

Correspondance et autres écrits

Ma chère petite sœur. Lettres à Bernadette (1943-1970), édition préparée par François Ricard, Dominique Fortier et Jane Everett, Montréal, Boréal, 1999, collection « Cahiers Gabrielle Roy ».

Le Pays de Bonheur d'occasion *et autres récits autobiographiques épars et inédits*, édition préparée par François Ricard, Sophie Marcotte et Jane Everett, Montréal, Boréal, 2000, collection « Cahiers Gabrielle Roy ». [Comprend « Souvenirs du Manitoba », « Le Cercle Molière... porte ouverte », « Mes études à Saint-Boniface », « Ma petite rue qui m'a menée autour du monde », « Rencontre avec Teilhard de Chardin », « L'Île de Sein », « Ma rencontre avec les gens de Saint-Henri », « Le pays de *Bonheur d'occasion* », « Voyage en Ungava ».]

Mon cher grand fou... Lettres à Marcel Carbotte (1947-1979), édition préparée par Sophie Marcotte, Montréal, Boréal, 2001, collection « Cahiers Gabrielle Roy ».

Intimate Strangers. The Letters of Margaret Laurence and Gabrielle Roy, édition préparée par Paul G. Socken, Winnipeg, University of Manitoba Press, 2004.

Femmes de lettres. Lettres à ses amies (1945-1978), édition préparée par Ariane Léger, François Ricard, Sophie Montreuil et Jane Everett, Montréal, Boréal, 2005, collection « Cahiers Gabrielle Roy ».

Rencontres et Entretiens avec Gabrielle Roy (1947-1979), édition préparée par Nadine Bismuth, Amélie Desruisseaux-Talbot, François Ricard, Jane Everett et Sophie Marcotte, Montréal, Boréal, 2005, collection « Cahiers Gabrielle Roy ».

In Translation. The Gabrielle Roy-Joyce Marshall Correspondence, édition préparée par Jane Everett, Toronto, University of Toronto Press, 2005.

Heureux les nomades et autres reportages (1940-1945), édition préparée par Antoine Boisclair, François Ricard, Jane Everett et Sophie Marcotte, Montréal, Boréal, 2007, collection « Cahiers Gabrielle Roy ». [Comprend « Tout Montréal », « Gaspésie et Côte-Nord », « Ici l'Abitibi », « Regards sur l'Ouest », « Horizons du Québec ».]

Table des matières

Crédits et remerciements

Les Éditions du Boréal remercient le Conseil des arts du Canada pour son soutien financier ainsi que le Fonds du livre du Canada (FLC).
Canadä

Les Éditions du Boréal sont inscrites au Programme d'aide aux entreprises du livre et de l'édition spécialisée de la SODEC et bénéficient du Programme de crédit d'impôt pour l'édition de livres du gouvernement du Québec.
Québec

Illustration de la couverture : Edwin Holgate, *Portrait d'un jeune garçon* (détail). Collection du Musée des beaux-arts de Montréal. Photo : MBAM.

MISE EN PAGES ET TYPOGRAPHIE :
LES ÉDITIONS DU BORÉAL

CE VINGT ET UNIÈME TIRAGE A ÉTÉ ACHEVÉ D'IMPRIMER EN JANVIER 2021
SUR LES PRESSES DE L'IMPRIMERIE GAUVIN
À GATINEAU (QUÉBEC).